Yasmina Reza

Babylone

Gallimard

Yasmina Reza est écrivain. Parmi ses romans figurent notamment *Une désolation, Adam Haberberg, Dans la luge d'Arthur Schopenhauer, Heureux les heureux* et *Babylone*, prix Renaudot 2016. Ses pièces de théâtre, dont *Conversations après un enterrement*, « *Art* », *Le dieu du carnage* ou encore *Bella Figura*, sont jouées dans le monde entier. Ses œuvres sont adaptées dans plus de trente-cinq langues et ont reçu les deux prix anglo-saxons les plus prestigieux : le Laurence Olivier Award et le Tony Award.

à Didier Martiny

« Le monde n'est pas bien rangé, c'est un foutoir. Je n'essaie pas de le mettre en ordre. »

GARRY WINOGRAND

Il est contre un mur, dans la rue. Debout en costume cravate. Il a les oreilles décollées, un regard effrayé, des cheveux courts et blancs. Il est maigre, les épaules étroites. Il tient bien visible une revue où on peut lire le mot *Awake*. La légende dit : Jehovah's Witness – Los Angeles. La photo date de mille neuf cent cinquante-cinq. Il avait l'air d'un garçonnet. Il est mort depuis longtemps. Il s'habillait convenablement pour distribuer ses bulletins religieux. Il était seul, habité par une persévérance triste et hargneuse. À ses pieds, on devine un cartable (on en voit la poignée), avec dedans les dizaines de bulletins que personne ou presque ne lui prendra. Ce sont aussi ces bulletins imprimés en nombre déraisonnable qui rappellent la mort. Ces élans d'optimisme – trop de verres, trop de chaises… – qui nous font multiplier les choses pour les rendre aussitôt vaines. Les choses et nos efforts. Le mur devant lequel il se tient est gigantesque. On le devine à son opacité lourde, à la taille de la pierre prédécoupée. Il doit être toujours là à Los Angeles. Le reste s'est dissous quelque part : le petit homme dans un costume flottant avec des oreilles en pointe qui s'était placé devant lui pour distribuer une revue religieuse, sa chemise blanche et sa cravate foncée, son pantalon élimé aux genoux, son cartable, ses exemplaires. Quelle importance ce qu'on est, ce qu'on pense, ce qu'on va devenir ? On est quelque part dans le paysage jusqu'au jour où on n'y est plus. Hier, il pleuvait. J'ai rouvert *The Americans* de Robert Frank. Il était perdu dans la bibliothèque, coincé dans un rayonnage. J'ai rouvert le livre que je n'avais pas ouvert depuis quarante ans. Je me souvenais du type debout dans une rue qui vendait une revue. La photo est plus granuleuse, plus pâle que prévu. Je voulais revoir *The Americans*, le livre le plus triste de la terre. Des morts, des pompes à essence, des gens seuls en chapeau de cow-boy. Quand on tourne les pages on voit défiler les juke-box, les télés, les objets de la nouvelle prospérité. Ils se tiennent aussi solitaires que l'homme ces arrivants surdimensionnés, trop lourds, trop lumineux, posés dans des espaces non préparés. Un beau matin, on les enlève. Ils feront encore un petit tour, bringuebalés jusqu'à la casse. On est quelque part dans le paysage jusqu'au jour où on n'y est plus. M'est revenu le Scopitone du port de Dieppe. On partait en 2 CV, à trois heures du matin pour aller voir la mer. Je ne devais pas avoir plus de dix-sept ans et j'étais amoureuse de Joseph Denner. On roulait à sept dans la bagnole dont le cul touchait le sol. J'étais la seule fille. Denner conduisait. On fonçait vers Dieppe en buvant de la Valstar rouge. On arrivait à six heures sur le port, on entrait dans le premier troquet et on commandait du Picon-bière. Il y avait un Scopitone. On avait des crises de fou rire en regardant les chanteurs. Une fois Denner avait mis *Le Boucher* de Fernand Raynaud et on pleurait de rire à cause du sketch et du Picon. Puis on rentrait. On était jeunes. On ne savait pas que c'était irréversible. Aujourd'hui j'ai soixante-deux ans. Je ne pourrais pas dire que j'ai su être heureuse dans la vie, je ne pourrais pas me donner quatorze sur vingt à l'heure de ma mort, comme ce collègue de Pierre qui avait dit allez, disons quatorze sur vingt, moi je dirais plutôt douze, parce que moins j'aurais l'impression d'être ingrate ou de blesser, je dirais douze sur vingt en trichant. Quand je serai sous terre qu'est-ce que ça changera ? Tout le monde se foutra que j'aie su ou non être heureuse dans la vie, et moi je m'en foutrai pas mal.

Le jour de mes soixante ans, Jean-Lino Manoscrivi m'a invitée aux courses à Auteuil. On se rencontrait dans les escaliers, lui et moi montions à pied, moi pour conserver une silhouette potable, lui par phobie des lieux clos. Il était maigre, pas grand, visage grêlé, un long front partant en arrière coiffé sur le côté avec la fameuse mèche recouvrante des gens chauves. Il portait des lunettes à monture épaisse qui le vieillissaient. Il habitait au cinquième, moi au quatrième. Ça nous faisait une petite complicité ces croisements dans la cage que personne n'empruntait. Dans certains immeubles modernes, la cage d'escalier est indépendante et moche, et ne sert qu'aux déménageurs. D'ailleurs les locataires disent l'escalier de service. Pendant un temps, on ne s'est pas connus vraiment, je savais qu'il travaillait dans l'électroménager. Il savait que je travaillais à Pasteur. Le nom de mon métier, Ingénieur Brevets, ne dit rien à personne et je ne cherche plus à l'expliquer de façon attrayante. Une fois, avec Pierre, on avait pris un verre chez eux, entre couples. Sa femme était un genre de thérapeute new age après avoir géré un magasin de chaussures. Le couple était récent, je veux dire par rapport à nous. En croisant Jean-Lino dans notre escalier la veille de mon anniversaire, je lui avais dit, demain j'ai soixante ans. Je traînais des pieds et ça m'était venu comme ça. Vous n'avez pas encore soixante ans vous Jean-Lino ? Il avait répondu, bientôt. Je voyais qu'il cherchait à dire un truc gentil mais il n'osait pas. Au moment où je rejoignais mon palier, j'avais ajouté, c'est fini pour moi, je passe la main. Il m'a demandé si j'étais déjà allée aux courses. J'ai dit non. En bredouillant, il m'a proposé, si j'étais libre, de le rejoindre le lendemain à Auteuil à l'heure du déjeuner. Quand je suis arrivée au champ de courses, il était installé au restaurant, collé aux vitres qui dominent le paddock. Sur la table, une bouteille de champagne dans un seau, les journaux du turf étalés, couverts d'annotations, des cacahuètes éparpillées mêlées à de vieux tickets. Il m'attendait en homme détendu qui reçoit à son club, en total contraste avec ce que je savais de lui. On a bouffé un truc gras de son choix. Il s'exaltait à chaque course, se dressant, rugissant, la fourchette brandie, drainant des lambeaux de poireau vacillants. Toutes les cinq minutes, il sortait fumer la moitié d'une clope et revenait avec de nouvelles conceptions. Je ne l'avais jamais vu avec cette dimension d'énergie et encore moins de joie. On jouait des sommes insignifiantes sur des chevaux au potentiel méconnu. Il les *sentait*, il avait ses intimes convictions. Il a un peu gagné, peut-être le prix du champagne (on a bu la bouteille entière, lui en particulier). Moi j'ai empoché trois euros. Je me suis dit, trois euros le jour de tes soixante ans, bon. J'ai compris que Jean-Lino Manoscrivi était seul. Un type à la Robert Frank d'aujourd'hui. Avec son Bic et son journal, et surtout son chapeau. Il s'était fabriqué un rituel, il avait isolé dans le temps un espace qui le tenait. Aux courses, il prenait des épaules, même sa voix changeait.

Je me suis souvenue des soixante ans de mon père. On avait mangé une choucroute à la République. C'était l'âge qu'avaient les parents. Un âge immense et abstrait. Maintenant c'est toi qui l'as. Comment est-ce possible ? Une fille fait les quatre cents coups, se trimballe dans la vie juchée et peinturlurée et tout à coup se met à avoir soixante ans. Je partais faire des photos avec Joseph Denner. Il aimait la photo et j'aimais tout ce qu'il aimait. Je séchais mes cours de bio. On n'avait pas peur de l'avenir dans ces années. Un oncle m'avait offert un Konika d'occase, ça faisait pro, d'autant que j'avais dégotté une bretelle Nikon. Lui avait un Olympus qui n'était pas reflex, on faisait le point avec un télémètre incorporé. Le jeu c'était de prendre le même sujet, même moment, même endroit, et de faire chacun notre image. On shootait la rue comme les grands qu'on admirait, les promeneurs et les bêtes du Jardin des Plantes à côté de la fac, mais surtout l'intérieur des troquets du pont Cardinet qu'affectionnait Denner. Les types en rade, les piliers momifiés dans des box à l'arrière. On tirait les planches-contacts chez un copain. On comparait et on élisait la bonne pour l'agrandissement. C'était quoi la bonne ? La mieux cadrée ? Celle qui révélait une interaction infime et insondable ? Qui peut répondre ? Je pense régulièrement à Joseph Denner. Parfois je me demande ce qu'il serait devenu. Mais qu'est-ce qu'un type qui meurt d'une cirrhose du foie à trente-six ans aurait pu devenir ? Depuis les événements, il s'est comme réinvité dans ma tête. Ça l'aurait bien fait rire cette petite histoire. *The Americans* m'a remis des images de jeunesse. On rêvait et on ne faisait rien. On regardait les gens passer, on décrivait leur vie et à quel objet ils ressemblaient, maillet, pansement… On riait. Par-dessous le rire, on ressentait un ennui un peu amer. J'aurais bien aimé les revoir ces photos du pont Cardinet. On a dû les jeter un jour avec des vieux papiers. Après l'anniversaire à Auteuil, je me suis prise d'affection pour Jean-Lino Manoscrivi. On sortait de l'immeuble pour faire quelques pas dehors et on prenait un café au coin si l'occasion se présentait. Dehors il avait le droit de fumer, chez lui non. Je le percevais comme le plus doux des hommes, et je le vois encore de cette façon. Il n'y a jamais eu de familiarité entre nous et on s'est toujours vouvoyés. Mais on parlait, on se disait parfois des choses qu'on ne disait pas à d'autres. Surtout lui. Mais ça pouvait m'arriver aussi. On s'était découvert la même aversion pour notre propre enfance, le même désir de l'effacer d'un trait noir. Un jour, évoquant son parcours sur terre, il avait dit, de toute façon le plus dur est fait. J'étais d'accord. Jean-Lino était le petit-fils d'émigrés juifs italiens du côté paternel. Son père avait commencé comme homme à tout faire dans un atelier de passementerie. Ensuite il s'était spécialisé dans les rubans, jusqu'à ouvrir une mercerie dans les années soixante. Un boyau avenue Parmentier. Sa mère tenait la caisse. Ils habitaient un fond de cour à deux pas du magasin. Les parents travaillaient dur et n'étaient pas tendres. Jean-Lino ne s'étendait pas sur le sujet. Il avait un frère, beaucoup plus âgé que lui, qui avait réussi dans la confection. Lui partait en vrille. Sa mère l'avait viré de la maison. Il avait démarré en cuisine après un CAP de pâtisserie. À l'heure la plus optimiste de sa vie, il s'était lancé dans la restauration. C'était dur, pas de vacances, pas assez de chiffre. Pour finir, Pôle emploi avait financé une formation dans la grande distribution et une association intermédiaire l'avait placé chez Guli où il s'occupait de l'après-vente électroménager. Il n'avait pas eu d'enfant. C'était le seul reproche qu'il osait faire aux puissances qui avaient gouverné son existence. Sa première femme l'avait quitté après l'échec du restau. Quand il avait connu Lydie, elle était déjà grand-mère par une fille née d'un mariage précédent. Depuis deux ans, le gosse venait régulièrement chez eux. Les parents étant séparés dans les plus mauvais termes, au point

que les services sociaux s'en mêlent, on four-
guait l'enfant chez mamie Lydie à la moindre
occasion. Par l'effet d'une tendresse qui n'avait
jamais trouvé à s'exprimer (sauf avec son chat),
Jean-Lino avait accueilli ce Rémi à bras ouverts
et tentait de s'en faire aimer. Est-ce qu'on a raison de vouloir se faire aimer ? N'est-ce pas une
de ces tentatives toujours calamiteuses ?

Les premiers moments ont été chaotiques.
L'enfant, âgé de cinq ans à son arrivée, il habitait auparavant dans le Sud, s'appliquait à ne
pas faire attention à Jean-Lino et pleurait dès
que Lydie disparaissait. C'était un petit garçon
banal, un peu grassouillet, qui avait un joli sourire avec des fossettes. Les difficultés d'apprivoi-
sement étaient aggravées par Eduardo, le chat
de Jean-Lino, une bête antipathique recueillie
dans une rue de Vicence et à qui on ne pouvait s'adresser qu'en italien. Lydie avait su frayer
avec Eduardo. Elle tenait son pendule devant
lui et le chat suivait le balancement du quartz
rose, mesmérisé (la pierre s'était *présentée* à elle
quelque part au Brésil). En revanche, Eduardo
avait pris Rémi en grippe. Il doublait de volume
quand le petit surgissait, et soufflait de manière
inquiétante. Jean-Lino avait tenté de raisonner
son chat sans que personne autour n'y mette
du sien. Lydie avait réglé l'affaire en canton-
nant Eduardo dans la salle de bain. Rémi allait

l'asticoter en imitant son miaulement à travers la porte. Jean-Lino essayait de l'en empêcher mais il n'avait pas d'autorité. Quand le champ était libre, il allait discrètement réconforter la bête à travers l'embrasure en lui murmurant quelques pépiements italiens. Rémi avait refusé d'appeler Jean-Lino *papy Jean-Lino*. D'ailleurs, on ne peut pas dire que l'enfant avait refusé. Il ne l'avait tout simplement jamais appelé papy Jean-Lino malgré les incessants *Papy Jean-Lino va te lire une histoire* ou *si tu finis ton poisson papy Jean-Lino va t'acheter je ne sais quoi* de Jean-Lino. Papy Jean-Lino avait été dédaigné par Rémi qui s'en foutait complètement. Quand il avait eu besoin de le nommer il l'avait appelé Jean-Lino, lequel s'était senti bêtement affecté par ce prénom seul, prononcé sans la moindre nuance familiale. Par la suite, changeant de stratégie, il s'était mis en tête de séduire l'enfant par la voie du rire. Il lui apprenait à dire des bêtises du genre *topodoco, tapadaca* pour arriver à *tupuducu*. Rémi adorait. Il s'était vite débarrassé des premières étapes et répétait en boucle *tu pues du cul*, en prenant des voix saugrenues ou en fredonnant, ou bien le balançait directement à Jean-Lino si possible dehors et à voix forte. J'ai moi-même servi de spectateur à cette saynète dans le hall de l'immeuble. Feignant de rigoler Jean-Lino avait dit, si on répète un jeu de mots trop souvent il n'est plus marrant, tu sais. Il ne savait plus comment enrayer le processus. Plus il tentait de le raisonner, plus l'enfant répétait la phrase. À la place de dire c'est bien ou c'est pas bien, le petit disait c'est *nichon* ou c'est pas *nichon* (un enseignement de Jean-Lino ?), de sorte qu'il pouvait répondre, *c'est pas nichon tu pues du cul ?!* Lydie n'aidait pas, confinée dans la théorie du on récolte ce qu'on sème. Quand elle percevait une manière de découragement chez Jean-Lino, elle se contentait de dire, mais fiche-lui la paix à ce gosse. Le dernier mot prononcé avec une texture navrée. On ne va pas réprimander une victime de l'inconséquence adulte. Avec le recul, je suppose qu'elle avait senti le danger de cet attachement unilatéral. Il me faudrait dire un mot sur ce hall d'immeuble. C'est un espace en longueur, éclairé de jour par la porte d'entrée semi-vitrée. L'ascenseur se présente de face au centre. On accède à l'escalier par une porte latérale dans un renfoncement à gauche. Le bout de couloir à droite mène au local des poubelles. Quand ils étaient tous les trois, Lydie prenait l'ascenseur avec son petit-fils tandis que Jean-Lino montait à pied. Quand Jean-Lino était seul avec l'enfant, celui-ci ne voulait prendre que l'ascenseur. Pour l'emmener dans la cage d'escalier il fallait le traîner dans des hurlements. Jean-Lino ne pouvait pas prendre l'ascenseur. Au cours de sa vie lui était venu l'empêchement de prendre l'avion, l'ascenseur, le métro et les nouveaux trains dont les fenêtres ne s'ouvraient plus. Un jour, le petit s'est accroché comme un singe à la porte de l'escalier pour ne pas y entrer, Jean-Lino a fini par s'asseoir sur les premières marches les larmes aux yeux. Rémi s'est mis à côté de lui et a demandé, pourquoi tu veux pas prendre l'ascenseur ?

– Parce que j'ai peur, a répondu Jean-Lino.

– Moi j'ai pas peur, je peux le prendre.

– Tu es trop jeune.

Après un temps, Rémi a monté les escaliers en se hissant à la rampe. Jean-Lino l'a suivi.

S'il me fallait isoler une seule image, parmi toutes celles qui persistent dans ma tête, ce serait celle de Jean-Lino assis dans la presque obscurité sur la chaise marocaine, les bras rivés aux accoudoirs au milieu d'un encombrement de chaises qui n'avait plus lieu d'être. Jean-Lino Manoscrivi pétrifié sur la chaise inconfortable, dans le salon où restaient encore, alignés sur le coffre, les verres achetés frénétiquement par moi pour l'occasion, les raviers de céleri, chips light, tous les reliquats de la sauterie organisée dans un moment d'optimisme. Qui peut déterminer le point de départ des choses ? Qui sait quelle combinaison obscure et peut-être lointaine a gouverné l'affaire ? Jean-Lino avait rencontré Lydie Gumbiner dans un bar où elle chantait. Dit comme ça, on imagine une fille chaloupée délivrant une voix chaude dans un micro. En réalité c'était une petite algue sans trop de poitrine, habillée à la gitane et couverte de breloques, qui avait visiblement mis l'accent sur sa chevelure, un frisé orangé, volumineux, domestiqué avec des barrettes décoratives (elle avait aussi un bracelet de cheville avec des breloques...). Elle prenait des cours de jazz avec une prof de chant et se déployait dans des bars de temps à autre (nous y sommes allés une fois). Elle avait chanté *Syracuse* en regardant Jean-Lino, assis là ce soir, par le hasard de la vie, en bordure d'estrade, et dont les lèvres avaient fini par murmurer *Avant que ma jeunesse s'use et que mes printemps soient partis...* Jean-Lino était fan d'Henri Salvador. Ils s'étaient plu. Il avait aimé sa voix. Il avait aimé ses jupes longues et vaporeuses, ce goût pour le bariolé. Il trouvait attirant qu'une femme de son âge se foute de la convention urbaine. C'était d'ailleurs une femme inclassable à bien des égards et qui se vivait comme possédant des facultés surnaturelles. Pourquoi ces deux êtres s'étaient-ils assemblés ? J'avais une copine au CEIPI à Strasbourg, une fille un peu en retrait. Un jour, elle a épousé un type ingrat et taciturne. Elle m'a dit, il est seul, je suis seule. Trente ans plus tard, je l'ai rencontrée dans le Thalys, elle construisait des montgolfières pour des parcs d'attractions, elle était toujours avec lui et ils avaient eu trois enfants. Le final n'est pas aussi souriant pour le couple Gumbiner-Manoscrivi mais sous des déclinaisons infiniment variées le motif n'est-il pas toujours le même ? J'ai pris des photos lors de notre petite fête (je l'avais appelée *fête de printemps*). Sur une d'entre elles on voit Jean-Lino debout, surplombant Lydie assise sur le canapé dans un de ses déguisements chamarrés, riant tous les deux, visages tournés vers la gauche. Ils ont l'air bien. Jean-Lino a l'air content et rougeaud. Il est appuyé sur le dossier du canapé, corps penché au-dessus de la frisure rousse. Je me souviens très exactement de ce qui les avait fait rire. La photo a été utilisée dans le dossier. Elle saisit ce que saisit n'importe quelle photo, un instant pétrifié qui ne se répétera plus, et n'a peut-être même pas eu lieu comme tel. Mais étant donné qu'il n'y aura jamais plus d'images ultérieures de Lydie Gumbiner, elle semble receler un contenu secret et se trouve nimbée d'une aura vénéneuse. J'ai vu récemment dans un hebdo une photo de Josef Mengele dans les années soixante-dix en Argentine. Il est assis quelque part dehors, en chemisette, devant des restes de pique-nique, au milieu d'une bande de garçons et filles nettement plus jeunes. Une d'entre elles est accrochée à son bras. Elle rit. Le médecin nazi rit. Ils sont tous rieurs et décontractés, attestant du soleil et de la légèreté de la vie. La photo ne présenterait aucun intérêt sans la date et le nom du personnage central.

La légende bouleverse la lecture. Est-ce vrai de toute photo ?

Je ne sais pas comment a germé dans ma tête cette idée de fête de printemps. Nous n'avions jamais fait ce genre de chose à la maison, ni pot, ni fête, encore moins de printemps. Quand on reçoit des amis ça ne dépasse jamais six personnes autour d'une table. Au départ j'avais envie de faire un truc avec des copines de Pasteur, auxquelles on ajouterait quelques collègues de Pierre, et puis j'ai ressorti des noms, je me suis mise à conceptualiser des croisements plus ou moins féconds, très vite s'est posée la question des chaises. Pierre m'a dit, emprunte des chaises aux Manoscrivi.
– Sans les inviter ?
– En les invitant. Elle pourrait même chanter !
Le couple Manoscrivi n'intéressait pas Pierre, mais tant qu'à faire il trouvait Lydie plus marrante que Jean-Lino. J'ai lancé une quarantaine d'invitations. Je les ai regrettées sur-le-champ. La nuit qui a suivi je n'ai pas fermé l'œil. Comment asseoir tout le monde ? On avait sept chaises en comptant la chaise marocaine. Les Manoscrivi devaient en avoir sensiblement le même nombre. La chaise marocaine était très encombrante mais comment la mettre hors jeu ? En dehors des chaises, le pouf mou et le canapé

permettaient, dans le cas d'une synergie idéale, l'assise de sept personnes. Trois fois sept, vingt et un. À quoi il fallait ajouter un tabouret de la cave, donc vingt-deux (j'avais aussi pensé au coffre mais le coffre devait servir de table en complément de la table basse). Il faudrait dix chaises de plus mais pliantes. Il faudrait qu'elles soient pliantes, qu'elles puissent être dépliées si besoin et non pas stationner comme en attente de spectateurs, mais où trouver des chaises pliantes ? L'appartement ne permettait pas en surface un apport de trente chaises dépliées, sans parler de l'uniformité glaciale des chaises d'appoint, et pourquoi fallait-il tant de chaises ? Quand on fait ce genre de fête dînatoire informelle – mais oui, informelle ! – les gens ne sont pas tous assis, ils parlent debout, se baladent, il faut compter sur une forme de va-et-vient, de liberté dans l'assise, les gens se mettent sur les accoudoirs ou s'assoient par terre décontractés le dos au mur, mais oui !… Quant aux verres… Je me suis relevée dans la nuit pour compter le nombre de nos verres. Trente-cinq, plus ou moins disparates. Plus six verres de champagne dans un autre placard. Au réveil j'ai dit à Pierre, on n'a pas de verres. Il faut acheter une vingtaine de verres de champagne et des verres à vin. Pierre m'a dit qu'il existait des verres de champagne en plastique. J'ai dit, ah non, ça non, je suis déjà malheureuse avec les assiettes en carton, les verres doivent être en verre. Pierre m'a dit, c'est idiot d'acheter des coupes dont on ne se servira jamais par la suite. On ne va pas boire du champagne dans du plastique comme pour un pot de départ ! Pierre m'a dit qu'il existait des flûtes ultrarigides imitation verre tout à fait acceptables. J'ai été voir sur internet et j'ai commandé trois coffrets de dix flûtes à champagne Élégance et trois boîtes de cinquante couteaux, fourchettes et cuillères jetables en plastique métallisé, aspect inox. Ça m'a tranquillisée jusqu'au samedi de la soirée où dans l'après-midi, j'ai eu une nouvelle crise à propos des verres. On avait des flûtes à champagne mais pas de verres pour le vin. Après une errance dans Deuil-l'Alouette, je suis revenue avec trente verres ballon en verre et un coffret de six verres de champagne en verre. J'ai sorti une nappe jamais utilisée que j'ai mise sur le coffre et j'ai disposé tous les verres, les coupes, les ballons, les hybrides, et même quatre petits verres à vodka au cas où quelqu'un voudrait de la vodka. Il y avait plus de cent verres en comptant ceux de la cuisine. Lydie a sonné vers six heures. Déjà semi-pomponnée, une chaise à chaque bras. Nous sommes montées chercher les autres. Il y avait un fauteuil en velours jaune dans la chambre. Je n'avais jamais vu leur chambre. La même pièce que la nôtre en dix fois plus coloré, dix fois plus bordélique, des icônes au mur, un poster de Nina Simone à moitié nue en robe de cordage blanc, et une autre disposition du lit. Au milieu de coussins, Eduardo, méfiant et alangui. Mais qu'est-ce que tu fais là ! s'est écriée Lydie. Elle a tapé dans ses mains et le chat s'est carapaté. Elle a dit, je ne lui permets pas d'être dans la chambre. Il m'a semblé voir un pot de chambre avec un couvercle en bois. En un coup d'œil, j'ai compris que Jean-Lino n'avait jamais mis son grain de sel dans la déco, non pas qu'on ait pu déceler sa touche personnelle ailleurs mais le reste de l'appartement tenait plus du compromis hasardeux des vies. La fenêtre était entrouverte, encadrée par des pans soyeux style bonbonnière anglaise, doucement flottants, on distinguait au loin par-dessus les immeubles un bout de tour Eiffel qu'on ne voyait pas nous. Leur chambre m'a paru plus gaie, plus jeune que la nôtre. En soulevant le fauteuil trop lourd, j'ai jalousé leur chambre. J'ai souvent été plombée par les chambres dans ma vie. Chambre d'enfance. Chambres d'hôpital. Chambres d'hôtel avec mauvaise vue. C'est la fenêtre qui fait la chambre. L'espace qu'elle découpe, la lumière qu'elle introduit. Ses rideaux aussi. Le voilage ! J'ai été à l'hôpital trois fois dans ma vie, en comptant mon accouchement. À chaque fois, j'ai été plombée par la chambre d'hôpital avec ses grandes vitres vaguement opacifiées, livrant une barre de bâtiment symétrique, des branchages ou un ciel disproportionné. La chambre d'hôpital m'a enlevé tout espoir à chaque fois. Même avec le bébé à côté dans son berceau en verre.

Une des photos les plus connues de Robert Frank est la vue de Butte, une ville minière du Montana, prise de la fenêtre d'une chambre d'hôtel. Des toits, des entrepôts. De la fumée au loin. La moitié du paysage est effacée de chaque côté par des voilages en tulle. Notre chambre d'enfance, avec ma sœur Jeanne, donnait en partie sur le mur d'un gymnase. Le crépi s'effritait par pans entiers. Si je me penchais vers la gauche, je voyais une rue sans passants avec un arrêt de bus. On habitait dans un immeuble en brique à Puteaux, démoli aujourd'hui (j'y suis passée, je ne reconnais rien). On avait exactement les mêmes rideaux en tulle, la même maille, la même frise verticale épaisse un peu froissée. Ça donnait du monde la même image morne. Le rebord de la fenêtre aussi était le même. Un rebord de pierre salie, trop étroit, qui ne supporte rien. La chambre d'hôtel de Butte surplombe des baraques sombres et une route vide. Celle de Puteaux donnait sur un mur arrière sans ouverture. On n'aurait jamais mis ce tissu devant un truc resplendissant. J'ai dit à Lydie, j'ai peur qu'il soit un peu encombrant ce fauteuil.

– Oui, oui, on le prendra plus tard au pire.

Elle m'a entraînée dans le salon. Elle avait créé une petite jungle sur le balcon, ce genre de balcon-boîte des immeubles modernes où on ne va pas trop. Il y avait un grand mimosa qui déployait ses branches et qu'on voyait d'en bas. Des arbustes en pot bourgeonnaient. De temps en temps, l'eau qu'elle versait rebondissait chez nous. J'ai dit, il est merveilleux votre balcon. Elle m'a montré ses tulipes naissantes et des crocus apparus le matin même. Vous avez besoin d'autre chose ? Plats, verres ?

– J'en ai suffisamment je crois.

– Pendant que vous êtes là, vous pourriez signer une pétition contre le broyage des poussins ?

– On broie les poussins ?

– Les mâles. Ils ne peuvent pas devenir des poulets alors ils sont déchiquetés vivants dans des broyeuses.

– Quelle horreur ! j'ai dit en ajoutant mon nom et ma signature à une liste.

– Serviettes ? J'ai des serviettes en lin froissé qui ne se repassent pas.

– J'ai tout ce qu'il me faut.

– Jean-Lino est descendu acheter du champagne. Et fumer sa petite Chesterfield.

– Il ne fallait pas.

– Quand même !

Elle était bien plus excitée que moi. Mes attaques d'anxiété m'avaient épuisée et je voyais arriver la soirée comme une punition. Sa joie me faisait honte. Je l'ai trouvée touchante et sympathique.

Elle ne s'était pas attendue à cette invitation chez des voisins qu'elle avait crus condescendants. Nous sommes reparties avec trois autres chaises. En bas, j'ai dit, c'est parfait, merci beaucoup Lydie, allons nous faire belles maintenant ! Elle m'a serré le poignet en signe de complicité.

– Un de ces quatre, il faudra que je vous réinitialise.

– Ça veut dire quoi ?

– Je vais vous évaluer avec mon pendule. Enlever tout ce qui est encrassé, purger les organes. Je vais remettre de la fluidité.

– Ça va prendre des années !

Elle a ri et s'est enfuie dans l'escalier en agitant sa chevelure orangée.

Sur les voilages encore : mon amie de primoadolescence (avant mes années Denner) s'appelait Joelle. Elle était belle et drôle. On ne se quittait pas d'une semelle même la nuit. Sa famille était encore plus toquée que la mienne. Au milieu de plein de déconneries on peignait des tableaux à l'huile – j'en ai encore certains, surchargés de matière –, on écrivait des chansons, des histoires, on vivait en Pataugas et pulls de mecs, c'était l'époque beatnik. Moi je n'ai jamais dépassé le shit et vaguement l'alcool,

Joelle s'est mise à l'acide et à d'autres trucs flippants et notre amitié a commencé à battre de l'aile. Une année, elle est revenue d'Asie en avion sanitaire, elle avait avalé un champignon hallucinogène qui lui avait détraqué le cerveau. Elle venait d'avoir dix-huit ans. Vingt ans plus tard, elle m'a téléphoné. Elle avait retrouvé ma trace à travers ma sœur sur Facebook. Je suis allée la voir à Aubervilliers, dans un logement qui donnait sur une cour. Joelle revenait des Antilles avec l'enfant d'un Martiniquais disparu dans la nature. Elle avait passé un diplôme d'infirmière, elle cherchait du travail. Ils vivaient dans deux pièces en alignement, une entrée avec une table et une chambre. Des pièces sombres, assombries encore par des voilages fanés. Alors qu'il faisait encore vaguement jour, Joelle a allumé une lampe. On se parlait dans ce mélange de jour et de lumière électrique qui ramène au pressentiment accablant des dimanches. C'était le seul jour chez nous où on baissait la garde sur les économies d'électricité, normalement il fallait éteindre les pièces avant même d'en être sorties. On avait pris l'habitude Jeanne et moi de vivre dans le noir, je préférais de loin le noir qui n'était pas triste à cette combinaison lugubre. Joelle m'a fait un thé, je la voyais assise avec son petit garçon craintif sur le fond jaunâtre. J'ai pensé, on ne peut pas y arriver. Je suis repartie en fin d'après-midi, l'abandonnant pour la deuxième fois de ma vie.

À une heure de la soirée, tout était plus ou moins sous contrôle, les raviers remplis, les tortillas prêtes à être enfournées. Pierre devait s'occuper des salades. Sur le plan vestimentaire, deux tenues étaient calées depuis plusieurs jours tout en sachant que je mettrais pour finir la robe noire sans histoire et sans risque. J'ai avalé un Xanax et je suis allée me faire belle avec un nouveau traitement anti-âge conseillé par Gwyneth Paltrow. Je désapprouve intellectuellement le terme anti-âge que je trouve culpabilisant et débile mais une autre partie de mon cerveau épouse la phraséologie médicamenteuse. Récemment j'ai commandé sur internet le baume favori de Cate Blanchett, sous le prétexte que toutes les Australiennes stylées l'avaient dans leur sac à main. Quelque chose ne doit pas tourner très rond chez moi. Des gens parlaient à la radio de la fatigue psychique des Français. En dépit du flou de la notion, ça m'a fait plaisir d'apprendre que les Français étaient dans le même état que moi. Les Français avaient définitivement perdu le sentiment de sécurité. La vieille rengaine. Qui peut se dire en sécurité ? Tout est incertain. C'est la condition même de l'existence. Dans le poste, qui plus est, on s'alarmait de l'affaiblissement du lien social. Néolibéralisme et globalisation, ces deux calamités, empêchaient de créer du lien. Je me suis dit, toi tu crées du lien ce soir dans ton appartement de Deuil-l'Alouette. Tu mets des bougies, tu arranges les coussins pour tes invités, tu as mis au frais des tortillas aux oignons et tu appliques ta crème par mouvements circulaires ascendants comme prescrit. Tu donnes un petit coup de jeune à l'existence. La femme doit être gaie. Contrairement à l'homme qui a droit au spleen et à la mélancolie. À partir d'un certain âge une femme est condamnée à la bonne humeur. Quand tu fais la gueule à vingt ans c'est sexy, quand tu la fais à soixante c'est chiant. On ne disait pas créer *du lien* quand j'étais jeune, je ne sais pas de quand date ce singulier. Ni ce qu'il veut dire ; le lien réduit à son abstraction n'a aucune vertu en soi. Encore une de ces expressions creuses.

Ma mère est morte il y a dix jours. Je ne la voyais pas tellement, ça ne change pas grand-chose dans ma vie sauf que quelque part sur la terre il y avait *ma mère*. Hier j'ai reçu l'aide-soignante qui s'occupait d'elle les derniers temps et à qui je devais de l'argent. Une femme énorme qui m'a toujours effrayée et qui parle en soufflant. Elle avait entendu parler du drame de l'immeuble et s'est montrée avide d'en connaître les détails. Déçue par ma réserve, et tout en croquant une galette St-Michel, elle a embrayé sur l'histoire d'une boulangère de Vitrolles qui avait tué ses enfants la veille de Noël. Dans la nuit la boulangère avait empaqueté les cadeaux, les avait mis sous le sapin puis elle était allée dans la chambre de son fils et avait appuyé l'oreiller sur son visage jusqu'à ce qu'il étouffe. Ensuite elle était allée dans la chambre de sa fille et avait fait exactement la même chose. L'aide-soignante a dit, elle a empaqueté les cadeaux, elle les a mis sous l'arbre et dans la foulée elle est montée supprimer les gosses. Elle a dit, moi ce qui ne me va pas, c'est qu'on vous apprend tout ça et après silence de mort. Vous entendez l'histoire sur toutes les chaînes et après zéro, plus rien. On vous appâte et on vous ferme la porte au nez. Les guerres, les massacres, c'est trop global, a-t-elle dit en reprenant une galette, moi le global, ça ne me fait pas grand-chose. Ça ne me sort pas de moi-même. Les drames de la vie courante si. Ça remplit la journée. On en discute. On ne pense plus à ses misères. Je ne dis pas que ça console mais dans un sens si. Pourquoi elle a mis les cadeaux sous l'arbre d'après vous ? On s'entendait bien avec votre maman, qu'est-ce qu'elle était gentille cette femme !

– Oui, oui.

– Une gentille femme. Et gentille avec tout le monde.

– Je dois vous laisser partir madame Anicé, j'ai un travail à finir...

Elle a rajusté à la taille son tee-shirt dont

l'imprimé m'a rappelé le Formica des années soixante et s'est soulevée avec lenteur.

– Moi j'ai ma théorie sur les cadeaux de Noël...

Dans l'aspect physique de Ginette Anicé, seuls deux éléments révèlent une tentative de paraître. Des boucles d'oreilles, deux boules dorées de celles qu'on met pour boucher le trou, et les accroche-cœurs du front. Les cheveux sont uniformément courts à l'exception d'une longueur sur le front, deux petits centimètres permettant la formation manuelle d'arrondis en corolle. Ils sont quasi invisibles, seule une personne comme moi sensible aux coiffures peut les remarquer. Ils couvrent le haut du front à intervalles réguliers, mais attention, il ne s'agit pas d'une bordure naturelle et frisée, il s'agit d'une frange travaillée en mèches séparées, à visée décorative ; ce sont bien des *accroche-cœurs*.

– Ma théorie, a dit Ginette, c'est que ça lui est tombé dessus en s'occupant des cadeaux. C'est la fatigue de la vie qui lui est tombée dessus.

– C'est possible...

Elle a récupéré son manteau en feutre.

– Madame Anicé, ça vous ferait plaisir une housse de coussin au crochet ?

– Ah ce sont les housses que faisait votre maman... C'est gentil mais je n'ai pas de coussins chez moi.

– Ou un napperon repose-tête ?

– Le napperon en souvenir, allez !... Et ça

38

c'est la photo qu'il y avait dans la chambre de votre maman !

Ça m'a exaspérée qu'elle dise votre *maman*. Je n'aime pas ces infantilisations soporifiques. Elle parlait d'une photo d'Emmanuel à La Seyne-sur-Mer. Ma mère avait cette photo dans un cadre sur sa table de nuit. Une photo de son petit-fils âgé d'une douzaine d'années, en maillot de bain avec un chapeau. Elle avait aussi une ancienne photo d'anniversaire des enfants de Jeanne. Je me suis toujours demandé ce que ces images signifiaient pour elle, je veux dire émotionnellement. À mon avis, elle ne les voyait pas, ces cadres étaient posés à côté de son lit par convention. On vit sous le régime de la convention. On est sur des rails. Avant de partir, Ginette Anicé m'a annoncé qu'elle avait quitté le dispensaire et ne voulait plus faire que des domiciles. En fait elle était au chômage. J'ai dit que je demanderais autour de moi, alors que jamais je ne la recommanderais à qui que ce soit. J'ai refermé la porte et j'ai regardé la photo. J'ai regardé le petit corps d'Emmanuel. Ses bras maigrichons. Il était l'enfant le plus affairé de la plage. Toujours un seau à la main, le transportant vide ou plein, allant de l'eau aux fourrés qui bordaient le sable pour fabriquer on ne sait quel monde miniature, revenant des dizaines de fois, cherchant des pierres, des bouts de bois, des coquillages, des bêtes diverses dans l'écume.

Quand il se baignait, ce n'était jamais pour nager. Debout dans l'eau jusqu'à la taille, il me disait, maman, dis-moi qui tu veux voir mourir ? Je disais le nom d'un de ses profs du collège (c'était le jeu).

– Monsieur Vivaret !

– Monsieur Vivaret d'accord !… Mais que faites-vous Emmanuel ?!… Pcch ! Pchh ! Pchh !!

Il explosait dans les vagues avec d'effroyables rebonds.

– Madame Pellouze !

– Emmanuel, veuillez poser ce kalachnikov !!!… Pchhh ! Pch !!! Pchhhhh !!

– Madame Farrugia !

On les tuait tous un par un.

Aujourd'hui tu es *Content Champion* pour une agence de com. Quand on te demande ce que tu fais, tu dis Chef de projet-Consultant éditorial (le titre anglais est tellement mieux !). La photo me redonne ton corps d'avant. Je n'y pensais plus. Je n'ouvre jamais les albums que je faisais autrefois. Ces bras maigres, je voudrais encore les sentir en collier. Moi aussi je me fous du global, elle a raison cette Anicé.

Un jour, sans que rien ne l'annonce, Rémi avait mis ses bras autour du cou de Jean-Lino Manoscrivi. Ça s'est passé un dimanche à l'Hippopotamus. Ils déjeunaient tous les trois et un couple d'amis de l'atelier de jazz de Lydie. Rémi qui s'embêtait comme tous les enfants à table avait eu la permission d'aller faire des bulles sous la véranda ouverte. Jean-Lino le surveillait d'un œil quand tout à coup plus de Rémi. Jean-Lino va voir. Pas de Rémi. Il descend les marches, regarde de tous les côtés de l'avenue du Général-Leclerc. Rien. Il retourne à l'intérieur, monte à l'étage. Personne. Mamie Lydie s'affole. Jean-Lino et elle ressortent. Ils partent à droite, à gauche, tourbillonnent, retournent dans l'Hippopotamus, interrogent les serveurs, ressortent. Ils crient le nom de l'enfant, le paysage urbain est vide, ouvert à tous les vents. Les amis chanteurs sont restés à table, pétrifiés, ne touchant plus leur assiette. Non loin d'eux un couple, discrètement, leur désigne du menton une desserte à laquelle est accolé un genre de palmier en pot. La copine de Lydie finit par comprendre les signes, se lève et trouve Rémi accroupi, réjoui de sa blague, planqué derrière le bac à fleurs. Les Manoscrivi hagards reviennent. Lydie se jette pour serrer l'enfant. C'est à peine s'il n'est pas félicité pour sa réapparition. Tout rentre dans l'ordre. Jean-Lino n'a pas dit un mot. Il s'est rassis, blême et sombre. Rémi lui aussi a repris sa place. On lui propose une île flottante. Il se balance sur sa chaise en garçon satisfait et puis on ne sait pourquoi il se lève et vient entourer Jean-Lino de ses bras et poser sa tête sur ses épaules. Le cœur de Jean-Lino s'est gonflé de façon déraisonnable. Il a cru à la victoire secrète de l'amour, comme tous les amoureux éconduits que le moindre geste inopiné suffit à enfiévrer. Les mêmes gestes ne valent pas un clou, accomplis par des personnes acquises. Je pourrais en écrire là-dessus. Le type qui n'en a rien à foutre et qui un matin, par inadvertance ou perversité, t'envoie un signal imprévu, je sais ce que ça provoque.

Je dois savoir ce que devient la tante de Jean-Lino. La visite de Ginette Anicé m'y a fait penser. Jean-Lino avait ramené en France la sœur de son père et lui avait trouvé une place dans une maison de retraite juive. Je l'y avais accompagné un après-midi. Nous étions allés à la *cafétéria*, un grand hall reconfiguré entièrement fonctionnel, sol en petit marbre piqueté, murs lisses, tables où étaient assis des gens en chaises roulantes avec des visiteurs. On aurait dit que tous les matériaux avaient été choisis en raison de leur qualité d'écho et de résonance. La tante avançait vite avec son déambulateur. Esprit vif. Jambes vivaces. Le corps et surtout la tête agités de mouvements perpétuels incontrôlés qui ne semblaient pas la gêner mais qui rendaient sa parole sourde et saccadée. Elle parlait, en même temps, trois langues, un français châtié et semi-oublié d'autrefois, l'italien et le ladin, un patois des Dolomites. Jean-Lino nous avait installés à la table du fond, devant une télé murale, son au maximum, branchée sur une chaîne de clips. Durant la conversation (si on peut dire), Jean-Lino, par à-coups, lui arrachait avec ses doigts des poils du visage. Sait-elle ce qui est arrivé à son neveu ? À qui parle-t-elle, avec sa tête branlante dans le désert du hall ? Un rien peut me faire douter de la cohérence du monde. Les lois semblent indépendantes les unes des autres et se heurtent. Dans le réduit de mon bureau, à Pasteur, une mouche m'exaspère. Je n'aime pas quand une mouche est conne. J'ouvre grand la fenêtre et au lieu de s'enfuir vers les arbres qui bordent notre pavillon, elle revient dans la pièce zigzaguant vers le mur du fond. Deux secondes avant elle se cognait à la vitre, frappait à droite, à gauche, en tous sens, maintenant que l'air entre, que le ciel lui tend les bras, elle erre dans l'ombre absurdement. Elle mérite que je l'enferme en m'en foutant. Mais elle a pour elle son odieux bourdonnement. Je me demande même si ce bourdonnement n'a pas été créé comme garde-fou à l'emprisonnement. Je n'aurais aucune pitié sans cette parade. Je saisis ma CBE, je renvoie la mouche vers la fenêtre, enfin j'essaie, car au lieu de s'abandonner à la raquette charitable, elle l'esquive, se met hors de portée et va se coller en lisière de plafond. Pourquoi faut-il supporter une telle perte de temps ? La tante vivait dans les montagnes.

Elle parlait encore de ses poules, les poules rentraient dans la maison et se mettaient partout. Elle voulait retourner dans son village pour voir la transhumance des vaches, elle voulait réentendre le vacarme des cloches. Je vais appeler la maison de retraite.

Quand l'avocat m'a demandé qui était Jean-Lino pour moi, j'ai dit un ami. Il a fait mine de ne pas comprendre le mot. Il voulait savoir comment je l'entendais. Un soir, au début de notre amitié – le mot est d'une parfaite exactitude –, je rentrais du bureau un peu tard. Il était dehors avec sa Chesterfield, cou nu dans le vent. Et à chaque fois ce sourire quand il m'apercevait, avec des dents jaunies, complètement chevauchantes, éclatant à sa manière. Il était sanglé dans un perfecto en cuir artificiel d'allure juvénile que je ne lui connaissais pas. J'ai dit, c'est nouveau ? Où est la Harley ?
– Zara. En solde.
– Bravo.
– Vous aimez ? Il me boudine pas un peu ?
Je l'ai embrassé en riant et j'ai dit, je vous adore d'avoir acheté ça ! Il a ri aussi. Il m'a dit que la vendeuse l'avait complimenté. Il crevait de chaud dans ces cabines d'essayage, il ne pouvait pas y rester plus de dix secondes. Je lui ai dit que rarement un vêtement avait été aussi peu adapté à son propriétaire.

– Ah bon ? Merde !

On a vraiment ri tous les deux sous le réverbère, lui en crachant ses poumons. Il s'essuyait les yeux sous les lunettes à grosse monture. Son visage grêlé luisait un peu, je n'avais jamais osé lui demander d'où ça venait. Je suis rentrée en premier. Il voulait encore prendre un peu l'air, traduction en fumer une dernière. En me retournant dans l'entrée, je l'ai vu derrière les vitres faire quelques pas sur le parking, le corps voûté dans son blouson neuf, rabattant d'une main sa mèche sur le côté, la mine joyeuse entièrement disparue, comme il avait dû être juste avant que je surgisse. Je me suis dit, voilà comment nous sommes. Toi aussi tu avances en âge de même que tous ceux que tu connais, et je me suis sentie comme appartenant à cette foule en route, main dans la main, avançant en âge vers une chose inconnue.

Ce qui compte quand on regarde une photo, c'est le photographe derrière. Pas tellement celui qui a appuyé sur le déclencheur mais celui qui a choisi la photo, qui a dit celle-là je la garde, je la montre. Elle n'a rien de spécial cette photo du témoin de Jéhovah pour un œil pressé. Pas de sujet, pas de lumière. Un type fatigué en costume cravate qui vend une revue. Le type même du figurant qu'on met en arrière-plan sur un trottoir dans un film des années cinquante.

Parmi les centaines de photos que Robert Frank a dû prendre durant sa traversée de l'Amérique, et parmi celles qu'il a finalement élues, on trouve celle-ci. Au centre, il y a une tache blanche, le journal tenu, le poignet inversé, avec son titre, *Awake*, un mot en disharmonie totale avec l'allure funèbre du porteur. Mais on ne peut pas penser que la photo a été préférée pour sa dimension ironique. Moi je ne me souvenais pas du titre, je me souvenais de l'inquiétude de la bouche, ou des yeux, je me souvenais d'une chose qui n'existe pas : l'impression d'un jour de faible soleil. Il pourrait vendre des fraises ou des jonquilles avec la même obstination, frêle dans son costume, mangé par ce mur taillé pour une humanité conquérante. On se demande où il rentre le soir. On sait qu'un jour, il a dû y avoir une mauvaise bifurcation.

J'ai perdu ma mère il y a dix jours. J'étais là. Elle a soulevé une épaule, comme gênée par quelque chose, et puis plus rien ne s'est passé. Je l'ai appelée. Je l'ai appelée plusieurs fois. Et il n'y avait plus rien. Mon copain Lambert m'a dit que sa mère récemment lui avait demandé, quel âge as-tu à présent ?

– Soixante-dix ans maman.

– Soixante-dix ans, s'était exclamée sa mère, tu mérites d'être orphelin mon garçon !

Avec Jeanne on a vidé l'appartement ce week-end. Deux pièces minuscules à Boulogne-Billancourt. Un service de débarras gratuit est venu chercher les meubles et les éléments de cuisine. Et tous les objets, cochon en bois, chat en plâtre, porte-chandelle, poupée provençale, sulfures, soliflores, qu'on a balancés dans des sacs-poubelle. En fait quasiment tout, sauf le contenu de certains tiroirs et les vêtements. Et le casse-noix en forme de champignon que j'avais fabriqué il y a cinquante ans à l'atelier bois du lycée, retrouvé parmi d'autres bricoles dans une boîte à chaussures André complètement ramollie. Jamais je n'aurais pensé qu'il existait encore. Jeanne ne s'en souvenait pas, elle n'a pas voulu croire que c'était ma réalisation. D'une housse rangée au fond d'un placard on a sorti les napperons au crochet, les housses de coussin au crochet, le dessus-de-lit en patchwork au crochet qui recouvrait autrefois le lit matrimonial, qu'on avait pour une indéchiffrable raison sauvés de la benne. Notre mère était la championne du crochet. Après sa retraite, elle n'avait plus que ça à faire. Les courses, la télé, les aiguilles devant la télé. Avant même de marcher la fille de Jeanne rampait en couches et jupe au crochet. Qu'est-ce qu'on va en faire ? a dit Jeanne.

– On peut les donner à une association.
– Qui en voudra ?
– On aurait dû les fourguer avec le reste.
– Oui.

– Et les fringues aussi.

– Oui.

Les vêtements étaient soigneusement rangés, comprimés dans une étroite penderie. Jusqu'au bout, même totalement alitée, elle tenait à être *présentable.* Elle disait, j'ai peur qu'on me trouve morte et sale. La vioque sale, c'est ma hantise. On a sorti des chemisiers, des cardigans, le manteau d'hiver. On les a posés sur un escabeau à trois marches, seul rescapé du déménagement. On connaissait tout par cœur. On avait vu tout ça depuis des années. Des habits hors mode, hors saison. Le vestiaire d'une femme ordinaire qui vit sans bruit, part au travail, rentre du travail, tient correctement sa maison, à qui il n'est jamais venu l'idée de la moindre audace ni la moindre folichonnerie dans l'allure, ni peut-être ailleurs, mais ça qui peut le dire. On connaissait Jeanne et moi toutes les pièces de l'armoire, quasiment depuis toujours, elle les portait déjà à Puteaux, les mêmes lainages rugueux, les mêmes assortiments plus ou moins vert foncé, bordeaux ou beiges, la robe de chambre en polyester moins ancienne mais vue depuis des années. Bien pliés dans un coin, il y avait les foulards qu'on lui avait offerts. Quand c'était la mode des foulards, on lui en offrait des agréablement colorés, sans réaliser qu'elle ne portait jamais les précédents. Ils étaient protégés de la poussière par un papier de soie. Jeanne en a pris un qu'elle a enroulé sur sa tête, croyant faire son Audrey Hepburn, j'ai dit, ça commence quand le ramadan ? On a ri et une sorte d'aberrant chagrin m'est monté à la gorge dans le minuscule logement vide où ne restait pour ainsi dire rien d'une vie entière. La grosse Anicé s'est sentie obligée de prendre le napperon. Elle a dit « en souvenir, allez » avec le geste de la fille qui rend service. Elle aurait pu faire semblant d'être touchée ou d'admirer sa confection, non, elle l'a fourré au fond de son sac comme une chose négligeable. Je m'en veux de le lui avoir donné. Une femme crochète tout au long de sa vie et laisse ses petites étendues de tissu qui ne servent à rien ni à personne. Elle inventait des motifs mais tout le monde s'en fout. Qui s'intéresse à des motifs de crochet ? La mort emporte tout et c'est bien. Il faut faire de la place pour les nouveaux arrivants. Dans notre famille on l'a fait radicalement. Le modèle biblique, untel père d'untel qui a engendré untel, ça n'existe pas chez nous. D'aucun côté. Je n'ai connu aucun de mes grands-parents à part la grand-mère paternelle, veuve de cheminot, une femme qui n'aimait que les mésanges qu'elle gavait sur le bord de ses fenêtres.

L'appartement du dessus est toujours fermé. L'étiquette jaune et les deux cachets de cire sont toujours sur la porte. De temps en temps je monte, exprès pour voir. Ce qui s'est passé ici s'est évaporé doucement, l'air est comme avant, je me penche à la balustrade du balcon et il n'y a que la banalité, les troènes, les buissons dans leur bac, les voitures bien parquées dans leurs lignes nouvellement peintes. Je voyais passer les Manoscrivi sur ce parking, je les voyais monter dans la Laguna break, toujours elle au volant quand ils étaient ensemble. Il finissait sa clope avant de monter, elle avait le temps de faire sa marche arrière. Dix-huit personnes sont venues. J'avais tout prévu pour le double. Des copains de toujours, des collègues de Pierre, Jeanne et son ex-mari, ma nièce, les Manoscrivi, mes copines de Pasteur ou de Font-Pouvreau avec ou sans jules, et aussi, même s'il n'est pas resté longtemps, Emmanuel. À peine arrivée, avec un cake à l'orange fait maison, comme si elle apportait une barre de caviar, Jeanne s'est ruée dans la cuisine pour entourer le gâteau d'un torchon et le faire rentrer de force dans le frigo. J'ai vu tout de suite qu'elle était dans une de ces humeurs joviales qui m'épuisent. Ma sœur est d'une totale instabilité d'humeur. Ça peut varier d'une heure à l'autre, voire moins. La mauvaise humeur est radicale, un état morne, quasi silencieux et moyennement sympathique. Mais la bonne humeur est pire. Elle fredonne, un maniérisme de la joie se donne à voir avec des gestes de gamine et des accents volontairement bébêtes. Elle entamait une histoire amoureuse clandestine avec un encadreur. Dans l'euphorie des débuts, elle venait de s'acheter une laisse et un collier de soumission. Il fallait qu'elle m'entraîne tout de suite à part pour me montrer le kit sur son portable. Elle avait aussi envie d'un martinet, elle en avait vu un très joli sur internet, un knout à quatre brins montés sur un manche croco. Mais il valait cinquante-quatre euros et il y avait écrit : attention objet TRÈS cinglant. J'ai voulu voir la tête de l'encadreur mais elle n'avait pas de photo. Il avait soixante-quatre ans, cinq de plus qu'elle, marié, des bras costauds car il faisait de l'aviron, m'a-t-elle dit, et tatoués. J'ai pensé, et pourquoi aucun mec tatoué avec un fouet ne survient dans ma vie ? Je me suis sentie finie, hors jeu, bonne à animer des soirées banlieusardes avec de la famille et des gens archirebattus. Je m'en veux de penser ça. Je suis bien avec mon mari. Pierre est gai, facile à vivre. Pas bavard, je n'aime pas les hommes bavards. Il est à ma disposition sans être un mou et un asservi. Il est tendre. J'aime sa peau. On se connaît par cœur. Je lui reproche son amour trop inconditionnel. Il ne me met pas en danger. Il ne me magnifie pas. Il m'aime même laide ce qui n'est pas du tout rassurant. Il n'y a pas d'électricité entre nous, y en a-t-il eu jamais ? Quel inventaire pitoyable ! Je suis le sapin du conte d'Andersen. Qu'advienne quelque chose de plus vivant, de plus enivrant ! Qu'importe la forêt, la neige, les oiseaux, le lièvre, le sapin ne jouit de rien car il ne pense qu'à grandir, être plus haut pour contempler le monde. Quand le voilà grand, il rêve d'être abattu et emporté par les bûcherons pour devenir un mât et traverser les mers, quand ses branches sont assez fournies, il rêve d'être abattu et emporté pour devenir un arbre de Noël. Le sapin languit, le désir le tue. Dans le salon chaud, alors qu'on le coiffe, qu'on le décore, qu'on lui accroche des filets de bonbons, qu'on pose sur sa tête une étoile, il rêve du soir et des bougies sur ses branches, il rêve que la forêt entière se colle aux carreaux pour le jalouser. Quand il est seul dans le grenier, nu, sans épines dans le froid de l'hiver, il se rassure en espérant le retour du printemps et du dehors. Quand il est dans la cour, gisant flétri à côté des nouvelles fleurs, il regrette son coin noir du grenier. Quand arrivent la hache et l'allumette, il pense aux anciens jours d'été, là-bas, dans la forêt.

Les Manoscrivi sont arrivés en premier, en même temps que Nasser et Claudette El Ouardi. Un couple brillant et austère. J'ai connu Nasser chez Font-Pouvreau où il travaillait comme mandataire européen. Il a fondé depuis son propre cabinet de conseil en propriété industrielle. Claudette est chercheuse en bio-informatique. Lydie et Jean-Lino s'étaient déjà présentés sur le paillasson comme des gens ayant eu de grosses difficultés pour parvenir jusque chez nous. Les El Ouardi riaient poliment de la plaisanterie. Les Manoscrivi apportaient une bouteille de champagne et Jean-Lino tenait dans sa main un bouquet de petites roses mauves, dont les tiges étaient coupées très court. Avant l'arrivée de Jeanne et de son mari, nous sommes restés un moment tous les six. Une durée particulièrement vide, d'intense flottement, les deux couples s'étant chacun resserrés aux deux extrémités du canapé, tandis que Pierre et moi, à moitié debout, étions affairés à manier des boissons ou des soucoupes de crudités. Jean-Lino se tenait en bordure du coussin, mèche bien collée au crâne, mains croisées entre ses jambes écartées, dans une position d'attente confiante. Il portait une chemise parme que j'ai trouvée très élégante, à emmanchure américaine, et des lunettes que je ne connaissais pas. Un modèle semi-rond couleur sable. Lydie relayait les branches de céleri. Aucun mot ne prenait son essor. Aucun échange ne tenait la route. Le silence guettait chaque fin de phrase. À un moment donné, Nasser a prononcé le mot boulevard Brune et Lydie s'est exclamée, ah boulevard Brune, c'est là qu'on fait notre prochaine jam ! Jam ? a dit Nasser, ça veut dire quoi ? Des sessions de jazz, en public, a répondu Lydie tout sourire.

– Ah, très bien…

– Un *bœuf* si vous préférez ! Des copains ou des inconnus viennent faire le bœuf.

– Ah le bœuf ! Oui, oui, très bien. Vous jouez d'un instrument ?

– Je chante.

– Vous chantez. Bravo.

Jean-Lino hochait la tête avec fierté. J'ai ajouté, elle chante très bien, et ils ont tous acquiescé par des mouvements aimables. On aurait pu espérer un petit prolongement, une curiosité minimale, non, la conversation est retombée dans le trou béant d'où elle avait surgi. J'ai jeté un coup d'œil dehors et j'ai vu des flocons. Il neigeait ! Le premier jour du printemps. J'ai crié, il neige ! J'ai ouvert les vitres, l'air du froid est entré. Il neigeait. Même pas des petits flocons, les beaux flocons lourds et plats. Tout le monde s'est précipité sur le balcon. Claudette et Lydie se sont penchées sur la balustrade à barreaux pour voir s'ils fondaient en arrivant au sol. Les hommes ont dit, ça ne va pas tenir, les femmes ont dit, ça va tenir. On s'est mis à parler du climat, des saisons, de je ne sais quoi, Pierre a ouvert une bouteille de champagne et le bouchon est parti shooter les flocons. Pollueur ! a lancé Lydie. On a rigolé en trinquant. Pierre a raconté une histoire d'Emmanuel petit. Ils étaient partis une semaine ensemble, père et fils, aux sports d'hiver à Morzine. Ils partageaient une chambre dans un hôtel où il y avait un sauna au sous-sol.

En revenant dans la chambre, un soir, détendu, en peignoir, Pierre avait trouvé Emmanuel en larmes devant la télé. Qu'est-ce qu'il se passe ? – Il neige à Paris ! – Ici aussi mon chéri, regarde comme c'est beau dehors, avait dit Pierre, le coucher du soleil sur les cimes. Je veux retourner à Deuil-l'Alouette ! avait chialé l'enfant. Il se roulait sur le lit, gémissant, jetant par terre tout ce qui lui tombait sous la main, inconsolable d'avoir raté la neige à Deuil-l'Alouette. Pour finir, Pierre lui avait balancé la télécommande à la figure. Elle avait été s'exploser contre le mur, Emmanuel ayant prétendu l'avoir esquivée de justesse, Pierre ayant toujours affirmé avoir visé à côté. *« Neige », c'est-à-dire mon enfance, c'est-à-dire le bonheur,* même si elle est fausse pour moi, j'ai toujours en tête cette phrase de Cioran. En se ruant dans la cuisine avec son cake, Jeanne a dit, j'ai failli me péter la gueule dans votre allée, comme si on était les responsables du dérèglement. Elle avait aux pieds d'inhabituelles sandales compensées à lanières dont j'ai compris l'achat deux minutes plus tard avec les photos du kit maso. Grâce à la neige, la soirée a démarré. Les gens sont arrivés humides et effervescents, les uns à la suite des autres. L'ex-mari de Jeanne (ils sont séparés depuis huit ans, en bons termes, et nous sommes tous restés liés), Serge, s'est affecté de lui-même à la réception, répondant à l'interphone, débarrassant les manteaux, improvisant des présentations. Ma copine Danielle, qui est documentaliste à Pasteur, est arrivée très agitée elle aussi. Elle venait d'enterrer son beau-père dans la journée. À l'hôpital, quand sa mère avait vu le mort dans son cercueil, elle s'était écriée, mais Jean-Pierre n'avait pas de moustache ! La préposée à l'embellissement du mort l'avait mal rasé et l'ombre consistante qui prolongeait les narines lui donnait un air hitlérien. Quand elle a raconté ça, je me suis aussi souvenue de la petite coiffure archiplate, à la raie féroce, qu'on avait faite à ma tante pour ses adieux, elle qui n'avait cessé, toute sa vie, de procéder à divers crêpages et gonflements de cheveux. Quand elle croupissait en maison de retraite, son mari qui n'avait jamais arrêté de courir la gueuse, selon l'expression de ma mère, avait donné toutes ses affaires aux Petites Sœurs des pauvres hormis la tenue dont elle aurait besoin pour sa mise en bière. Jean-Pierre n'avait pas de moustache, a répété plusieurs fois la mère de Danielle sur le ton de l'affolement (Danielle la contrefaisait à la perfection). Elle a paraît-il voleté dans la pièce, elle est allée plusieurs fois se cogner contre un mur. Danielle a dit d'une voix surpondérée, maman calme-toi, nous allons régler ce problème. Un homme est apparu, elle a signalé le problème de rasage, sa mère a redit, mon mari n'avait pas de moustache ! L'homme est revenu à pas feutrés avec une trousse. Le Jean-Pierre glabre et poudré qui s'en est suivi ne ressemblait pas davantage au Jean-Pierre connu mais sa mère s'est penchée sur le gisant et a dit, tu es beau comme tout mon Pilou. Plus tard, en affrontant le couloir de façon affaissée et claudicante, elle a dit, tu vas devoir m'entourer énormément ma Danielle, qu'est-ce que tu fais ce soir ? Je pourrais nous faire un petit rôti de veau, avec des champignons ? Ma grande, s'est dit Danielle, adieu fête chez tes potes, tu ne peux pas laisser ta mère toute seule ce soir... J'ai fait remarquer que personnellement je n'avais jamais eu de double qui m'appelait ma grande et me retenait de faire des conneries.

– Moi, le double me dit ma grande, a dit Danielle, mais je ne l'écoute pas.

– Tu l'as laissée toute seule ?

– Je l'ai refilée à une de ses voisines, mais il me faudrait vite un remontant !

– Tu aurais dû l'amener.

– Tu es folle, pitié ! s'est écriée Danielle en s'enfilant une coupe.

À partir de ce moment, Mathieu Crosse, un collègue de Pierre, s'est mis à rôder autour d'elle. J'étais en cuisine en train de couper une tortilla quand Emmanuel a déboulé par surprise, munificent comme un garçon que trois soirées attendent encore derrière. Il m'a semblé étonnamment jeune parmi nous. Il l'était. Les Lallemant sont arrivés avec un pain de poulet aux épices et un livre pour Pierre offert par Lambert dans un papier cadeau. Pierre l'a accepté obligeamment et l'a posé sur une table sans l'ouvrir. J'ai dit, mais ouvre-le ! Il n'ouvre plus rien maintenant ! C'était *Le Bréviaire des échecs* de Tartakover dans sa toute première édition. Une attention délicate car Pierre avait déploré la perte de son exemplaire de jeunesse. J'ai dit, il ne déballe plus rien maintenant, c'est nouveau. Est-ce que je prends le chemin de mon père ? a fait remarquer Emmanuel, je ne déballe plus les fringues que j'achète et je mets au moins deux semaines avant de les porter. Parce que tu es trop jeune, a dit Pierre, un jour, tu verras, tu ne les porteras plus du tout. Marie-Jo Lallemant a ébroué ses cheveux mouillés avec une sorte de ravissement. Tu fais quoi alors Manu maintenant ? l'ai-je entendue attaquer sur le ton du compérage. Elle est orthoptiste et se vit proche des jeunes. Du marketing digital, a dit Emmanuel.

– Ah formidable ! Pendant que je cherchais un plat pour présenter le cake au poulet, j'entendais des bribes de phrases genre, on fait les contenus des sites corporate de boîtes B2B, j'entrevoyais Marie-Jo grimacer en connivence, le digital c'est plus fun que d'être dans ses plans de financement, Marie-Jo était ô combien d'accord.

Les Lallemant revenaient d'Égypte. Lambert a fait défiler des photos de pyramides avec un ou deux Asiatiques en permanence dans le champ, des photos du Caire, des devantures avec mannequins, et à un moment il y a eu une image insolite. J'ai dit, fais voir, fais voir ! Ce n'était rien ; une femme de dos qui marche en tenant la main d'une enfant minuscule. La photo était presque hasardeuse, pas très nette. Je peux la retrouver aujourd'hui en grand sur mon ordi car Lambert me l'a envoyée aussitôt (de ce fait, elle se trouve voisine, dans l'album numérique, de celle des Manoscrivi riant). Dans une rue du Caire une femme marche de dos en tenant par la main une fillette minuscule dans une robe longue et blanche. Le sol est carrelé, on dirait une esplanade ou un trottoir large. C'est la nuit. Autour il y a des hommes, des enseignes, des vitrines suréclairées. La femme est volumineuse, les cheveux cachés par un foulard. On ne comprend pas bien son habillement, par-dessus un pull à manches noires, une tunique orange descend jusqu'aux genoux sur un pantalon sombre. La petite fille lui arrive juste au-dessus du genou, elle est complètement en blanc à part ses bras nus. Une robe chasuble à volants, très longue, qui touche le sol et qui doit la gêner pour marcher, recouvre un chemisier ras-du-cou blousant. La robe s'évase à la taille, comme elle le ferait pour un modèle adulte, avec une importante amplitude de tissu. En haut, il y a la toute petite tête de l'enfant. Une nuque chauve à l'exception d'une traîne de queue au milieu, des oreilles décollées, des cheveux noirs épars et filasses. Quel âge a-t-elle ? Cette robe ne lui va pas du tout. On l'a attifée et sortie dans la nuit. Je me suis tout de suite associée à cette forme en blanc embarquée pour des années de honte. Quand j'étais enfant on me faisait *jolie*. Je comprenais que je ne l'étais pas à l'état naturel. Mais on ne doit pas endimancher une enfant ingrate. Elle se sent anormale. Je trouvais que les autres enfants étaient harmonieux. Moi je me sentais ridicule avec des habits de vieille qui m'empêchaient de gigoter, des cheveux constamment courts (ma mère a interdit toute mon enfance les cheveux longs), aplatis en arrière avec la barrette pour contrecarrer la frisure et dégager le front. Je me souviens d'une époque où je faisais mes devoirs avec des mèches de faux cheveux accrochées aux miens. Je remuais la tête en permanence pour les sentir pendre et bouger. Ma mère voulait que je présente bien. Ça voulait dire propre, léchée, engoncée et laide. La femme au foulard ne se préoccupe pas du bien-être de la fillette. Elle-même n'en éprouve aucun dans son propre corps. Mais surtout, il n'y a pas de représentation du bien-être. Personne n'avait l'idée d'un truc pareil chez nous. Je ne peux pas pardonner à cette salope d'Anicé d'avoir méprisé le napperon. Ça m'empêche de dormir quand j'y pense. *Qu'est-ce qu'elle était gentille votre maman !* pensant me faire plaisir. Ou me culpabiliser. Ma mère était tout sauf gentille. On ne pouvait en aucun cas parler d'elle en ces termes. Sous prétexte de mort on fait perdre aux gens leur consistance élémentaire. Ce qui m'aurait fait plaisir en revanche aurait été que cette salope s'empare du napperon avec tendresse, qu'elle le mette prudemment dans son sac, qu'elle en fasse, au moins pendant nos quelques secondes d'au revoir, un objet bien-aimé. Elle l'a jeté dans la première poubelle. J'aurais fait pareil. Mais personne ne s'en serait douté. Quand je ne devais pas être en représentation sociale, ma mère me trimballait comme la mère du Caire. Occupée par les autres soucis de la vie. Quand elle avait les mains prises par le chariot des courses, je devais tenir la barre. Je pouvais faire des kilomètres avec de la morve au nez et la cagoule de travers sans qu'elle s'en aperçoive. On était toujours surcouvertes Jeanne et moi. On nous a enfilé une cagoule six mois par an jusqu'à un âge avancé. Quel détail a fait tilt quand Lambert a déroulé devant nous ses photos inertes ? Ce couple sur le carrelage verdâtre m'a arrêtée sur-le-champ. Malgré la disproportion entre les deux personnages, la mère envahissante et la petite à la tête d'épingle, on saisit toute la force d'une vie minuscule. La photo a beau avoir été prise peu avant la soirée dans un autre pays, un autre climat, elle me vise et me happe loin en arrière. On était moches et mal fagotées ma mère et moi. On avançait seules dans les rues de la même façon et même si ma mère n'était pas grosse, je me sentais infime à ses côtés. En vidant son appartement avec Jeanne, j'ai compris à quel point elle avait été seule durant son existence. Quand mon père avait des coups de folie et me frappait, elle survenait dans ma chambre pour me demander d'arrêter de pleurer. Elle disait sur le pas de la porte, bon ça suffit maintenant ton cinéma. Ensuite elle préparait à dîner et elle faisait une chose que j'aimais, un potage aux vermicelles par exemple. Dans les derniers mois de sa vie, quand on venait la voir, elle était animée d'une inexplicable vitalité. Cou en avant, visage tendu, aux aguets de n'importe quel mouvement, elle ne voulait perdre aucun mot échangé devant elle, et ce en dépit de sa surdité. Elle qui s'était spécialisée dans le désintérêt, qui avait toujours pris le contre-pied négatif de tout, à l'heure de jeter l'éponge se montrait dévorée de curiosité.

Il y a toujours un boulet quelque part. Le boulet de la soirée c'était Georges Verbot. Il mange et boit, il n'aide pas et ne parle à personne. La neige s'était vite transformée en une pluie molle. Georges Verbot errait sans but assiette et verre en main, entre les groupes puis partait se coller à la vitre comme si c'était quand même plus marrant dehors. J'étais furieuse que Pierre l'ait une fois de plus invité. Il y a cette propension chez beaucoup d'hommes je l'ai remarqué, à trimballer toute leur vie des boulets qui les amusent eux sans qu'on comprenne pourquoi. Au départ Georges était historien, puis il a fait de la BD, maintenant il gribouille et vivote en picolant. Il lui reste une vague belle gueule qui attire les femmes en rade. Catherine Mussin, qui bosse toujours pour Font-Pouvreau, s'est avancée vers la fenêtre et a tenté une approche sur le thème des variations atmosphériques. Georges a dit qu'il aimait le temps dégueulasse, la pluie, spécialement ce genre de pluie sale qui fait chier tout le monde. Catherine a ricané, charmée par le pittoresque. Il lui a demandé ce qu'elle faisait, elle a dit qu'elle était Ingénieur Brevets, il a répondu, la même connerie qu'Élisabeth ! Elle a encore ri et expliqué qu'elle s'occupait de défendre les inventions des chercheurs.

– Ah ouais. Et vous défendez quelle invention en ce moment ?

– Je travaille sur la DI Opiomorphine. Une demande de brevet portant sur un nouvel analgésique si vous préférez.

– Et elle va servir à quoi votre demande ? À ce que les mecs puissent s'en foutre plein les poches ?

Elle a tenté de nuancer. À ce stade, elle devait déjà avoir reçu les effluves d'haleine avinée. Georges a dit, le vrai chercheur se fout du pognon ma fille, il n'a pas besoin d'être défendu ! Catherine a tenté de placer le mot « intérêt public » en pure perte. Vous, vous êtes les petites mains du monde industriel, a continué Georges, les mecs qui ont découvert le virus du sida se foutaient du pognon, ce qui les intéressait c'était la recherche fondamentale, la recherche fondamentale elle n'a pas besoin de vous mes chéries, vos histoires de brevet c'est du pur commerce, vous ne défendez personne, vous défendez le pognon ! Il l'avait coincée entre la fenêtre et le coffre, il lui parlait à deux centimètres du visage. Elle suffoquait et s'est mise à crier, ne soyez pas agressif ! Les gens autour se sont retournés et Pierre est tout de suite intervenu pour modérer son copain. Les Manoscrivi ont pris Catherine en main en lui confectionnant une assiette salades et pain au poulet des Lallemant. Elle répétait, c'est qui ce mec, il est dingue ? J'ai dit en passant, voilà un garçon que vous devriez réinitialiser, Lydie ! On ne peut pas réinitialiser un alcoolo, a fait savoir Lydie. Je me suis demandé qui elle réinitialisait si on ne pouvait pas réinitialiser les détraqués.

À un moment donné on a entendu Lambert dire, toutes les idées de gauche me désertent peu à peu. À quoi Jeanne a répliqué, avec une audace qui aurait été suicidaire il y a quelques années dans le même cénacle, moi elles ne m'ont jamais habitée ! Ni moi ! a gloussé Lydie, très à l'aise en compagnie. Ni lui ! a dit Pierre. Qu'est-ce que tu racontes, toute ma vie j'ai voté à gauche contre vents et marées, s'est défendu Lambert, on m'accuse même d'être un vieux gaucho. Serge a revendiqué le titre pour lui seul dans cette pièce et quelqu'un a demandé si « gaucho » était traduisible dans une autre langue. On a tous lancé des mots, éliminant d'un commun accord la possibilité d'un équivalent anglo-saxon. Gil Teyo-Diaz, notre expert en monde hispanique, a dit, *progre*, citant au passage le héros de BD barbu, *Quico, el progre*. J'ai dit, et en italien, vous diriez quoi Jean-Lino ? Je l'ai vu rougir, confus d'être soudain mis en avant, il a cherché un petit secours du côté de sa femme qui, elle, frétillait, il a bredouillé on ne sait trop quoi pour finir par articuler : *sinistroide*. Sinistroide ! Le mot a fait rire et on lui a demandé si on pouvait dire, *un vecchio sinistroide*. Il a dit qu'il ne voyait pas d'inconvénient à cette formulation, mais qu'il n'était pas non plus un Italien d'Italie, qu'il n'était pas certain du mot, enfin qu'il ne pouvait rien affirmer dans ce registre, ne parlant italien, et jamais politique, qu'avec son chat. Il s'est attiré la sympathie générale et est devenu à son corps défendant un chouchou de la soirée.

La jeunesse nous quitte ! a lancé Serge quand Emmanuel a tenté de filer en douce. Le pauvre a dû revenir dans le salon pour une tournée d'au revoir. Je l'ai vu rester longtemps debout, curieusement plié devant Lydie, quand j'ai réalisé qu'elle lui avait pris la main et lui parlait sans la lâcher comme font les gens qui ne doutent pas de leur magnétisme et dont l'âge autorise la familiarité physique. Catherine a demandé à Jean-Lino s'il avait des enfants. Son visage s'est illuminé, il a parlé d'une joie qui lui était venue du ciel et le nom de Rémi est arrivé à ses lèvres. Peut-être qu'on invente sa joie. Peut-être que rien n'est réel, ni joie ni peine. Jean-Lino appelait *joie* l'inespéré d'une présence enfantine à ses côtés. Il appelait joie l'inespéré de s'occuper d'un autre être, d'en prendre soin. Voilà comment Jean-Lino était fabriqué. L'infernal Rémi était la *joie* tombée du ciel.

Au moment où Emmanuel partait, sont arrivés Étienne et Merle Dienesmann. Merle venait d'interpréter (elle est violoniste) le *Requiem* de Dvořák à Sainte-Barberine. Étienne est le plus proche ami de Pierre. Depuis plusieurs mois, sa vue s'altère. Dans son garage, il stocke des luminaires qu'il achète en raison de sa dégénérescence maculaire fatale. Il refuse catégoriquement d'en parler en société et fait comme si de rien n'était (c'est de moins en moins possible aujourd'hui). Le garage étant sans électricité, quand il pénètre dans ce box pour entreposer ou prendre ce qui est censé l'aider à voir, il ne voit rien, à moins d'y aller avec un projo de mille watts. Étienne était prof de maths comme Pierre, maintenant il enseigne les échecs à des gosses pour des associations. Je ne l'ai jamais entendu se plaindre de son état. Ses yeux perdent peu à peu leur éclat mais quelque chose d'autre, que je ne saurais définir, dans son visage, est apparu, de persévérant et noble. Merle fait aussi comme si de rien n'était, mais je la vois insensiblement rapprocher le verre du goulot quand Étienne sert ou d'autres petits gestes infimes qui me bouleversent.

Jeanne a passé une partie de la fête, portable et lunettes en main, absorbée dans une correspondance fébrile. Serge faisait celui qui ne voyait rien. D'humeur taquine (adorablement lourd), groom et maître d'hôtel, parlant à tout le monde, essayant même d'amuser Claudette El Ouardi, il me rendait les choses légères et faciles. Même s'il n'était plus jaloux de sa vie actuelle, je n'ai pas compris qu'elle se comporte avec cette grossièreté. Ma sœur m'est apparue monstrueuse. Une femme pathétique sur ses échasses de gamine, indélicate et vulgaire. Passant près d'elle, j'ai dit, arrête, sois un peu avec nous. Elle m'a regardée comme si j'étais aigrie et chiante, et elle s'est juste un peu déplacée. Ça a failli me gâcher la soirée, mais à la voir de dos, penchée sur l'appareil, les cheveux teints ruisselants sur la bosse de bison, engouffrée depuis tant d'années dans la banalité de la vie, je me suis dit qu'elle avait absolument raison de saisir au vol l'avironneur, le fouet, les mots salaces, de se contrefoutre de l'ex-mari jovial, des convenances tant qu'il en était encore temps.

Gil Teyo-Diaz et Mimi Benetrof revenaient eux d'Afrique australe (tout le monde voyage, sauf nous). Gil a expliqué comment il s'était retrouvé nez à nez, non pas avec un seul, ni même deux, mais trois lions couchés. Homme et bêtes se sont jaugés, a-t-il dit, et personne n'a bougé ! Personne n'a bougé parce que les lions se trouvaient à cinq kilomètres et que tu les as observés à la jumelle depuis la jeep, a dit Mimi. On a ri. Danielle riait, le corps collé à Mathieu Crosse. Dans l'extrême sud de l'Angola, a poursuivi Gil, nous avons navigué sur la Gounéné infestée de crocodiles. Selon Mimi, ils avaient vu un bébé croco sur un rocher – qui aurait aussi pu être une branche –, et c'était au nord de la Namibie. Gil a affirmé qu'il avait des photos de crocos terrifiants prises à moins de deux mètres. Bien sûr, a dit Mimi, il les a prises dans le zoo de Johannesburg. Elle dit n'importe quoi, a dit Gil, et de toute façon, on n'est pas près de refaire ce genre de voyage vu que Mimi ne gagne plus un rond. Ma femme bosse dans la réassurance, au département *acts of God*, le nom pour catastrophes naturelles, ce qui de nos jours, étant donné le dérèglement climatique, signifie : adieu bonus ! Tout le monde riait. Les Manoscrivi riaient. C'est l'image d'eux qui est restée. Jean-Lino, en chemise parme, avec ses nouvelles lunettes jaunes semi-rondes, debout derrière le canapé, empourpré par le champagne ou par l'excitation d'être en société, toutes dents exposées. Lydie, assise en dessous, jupe déployée de part et d'autre, visage penché vers la gauche et riant aux éclats. Riant sans doute du dernier rire de sa vie. Un rire que je scrute à l'infini. Un rire sans malice, sans coquetterie, que j'entends encore résonner avec son fond bêta, un rire que rien ne menace, qui ne devine rien, ne sait rien. Nous ne sommes pas prévenus de l'irrémédiable. Aucune ombre furtive ne passe avec sa faux. Petite, j'étais fascinée par le squelette encapuchonné dont les contours noirs se détachaient sur une aura lunaire. J'en ai conservé l'idée d'un élément annonciateur, sous n'importe quelle forme. Un froid, un assombrissement ? Un tintement, qui sait ? Lydie Gumbiner n'a rien senti venir, pas plus qu'aucun d'entre nous. Quand les autres invités ont appris ce qui s'était déroulé dans la nuit, à peine trois heures plus tard, ils ont été stupéfiés et saisis d'effroi. Jean-Lino n'a rien senti non plus, pas le moindre frôlement lugubre, lorsqu'il s'est mis, dans les minutes qui ont suivi, à parler de façon écervelée, contaminé sans s'en être rendu compte par l'exercice conjugal qui consiste à se mettre en scène et taquiner l'autre pour amuser l'auditoire. Et comment aurait-il pu ? Tout semblait familier et sans portée. Des déconnades de samedi soir, des hommes qui refont le monde, se marrent, s'agacent.

Lydie a demandé si le poulet du pain de poulet aux épices des Lallemant provenait d'une filière biologique. Marie-Jo a dit d'un ton embêté, alors là, honnêtement je n'en sais rien. On l'a acheté chez Truffon.
— Connais pas, a dit Lydie.
— Il est succulent, a dit Catherine Mussin.
— Délicieux, a confirmé Danielle, coupant avec un soin aguichant une part pour Mathieu Crosse.
— Vous l'avez goûté Lydie ? j'ai dit.
— Non, car je ne mange plus de poulet sans être sûre de son origine.
— Alors ça c'est vrai ! s'est exclamé Jean-Lino, le Jean-Lino du champ de courses.
— Oui c'est vrai, s'est pincée Lydie. Autant considérer que j'ai pour ainsi dire renoncé à toute viande dans mon assiette.
— Mais elle s'occupe toujours de celle que les autres mangent ! a rigolé Jean-Lino.
— Elle a raison, a dit Claudette El Ouardi, une de ses rares phrases de la soirée.

– Je vais vous raconter une histoire, a entamé le Jean-Lino de l'hippodrome. L'autre soir nous avons été dîner aux Carreaux Bleus, avec notre petit-fils Rémi. J'hésitais à prendre un poulet basquaise et Rémi voulait un poulet frites. Lydie a d'abord demandé si les poulets avaient été nourris de granulés biologiques.

Lydie hochait la tête pour confirmer.

– Quand on lui eut affirmé qu'ils avaient été nourris de granulés biologiques, a continué Jean-Lino heureux de son maniement de la langue, elle a demandé si le poulet s'était promené dans la basse-cour, s'il avait voleté et s'était perché dans les arbres. Le serveur s'est tourné vers moi, il a répété *se percher dans les arbres ?* avec l'air de celui qui a affaire à une hurluberlue. J'ai eu un petit geste de sympathie, le genre de geste imprudent que nous faisons bêtement nous les hommes, a plaisanté Jean-Lino, et Lydie a répété d'une voix très sérieuse que oui, le poulet se perchait.

– Oui, le poulet se perche, a confirmé Lydie.

– Voilà ! a ri Jean-Lino, nous prenant à témoin. Quand le serveur est parti j'ai dit à Rémi, pour que Mamie Lydie nous autorise à manger du poulet maintenant il faut que le poulet se soit perché ! Le petit a demandé, pourquoi il faut que le poulet se soit perché ? Elle a dit, parce qu'il est important que le poulet ait eu une vie normale de poulet.

– Parfaitement, a dit Lydie.

– On a dit, oui, oui, nous le savons, mais nous ne savions pas que le poulet devait aussi se percher dans les arbres !

– Il doit également prendre des bains de poussière, a poursuivi Lydie avec une position de cou et un timbre qui auraient dû refroidir Jean-Lino s'il avait été plus à jeun.

– Ha ha ha !

– Pour entretenir son plumage. Personnellement, ça ne me suffit pas qu'on nous fasse croire comme ton ami, ce serveur nul qui ne sait même pas ce qu'il sert, que le poulet a bouffé des graines bio, je veux savoir s'il a mené une existence aérée et conforme à son espèce.

– Elle a raison, a redit Claudette El Ouardi.

– Et je n'ai pas beaucoup apprécié, tu le sais, cette connivence avec le serveur et l'enfant.

– On a le droit de rire, tout ça n'est pas très grave Chouquiti ! Maintenant on a un nouveau jeu avec Rémi. Quand on voit écrit poulet ou qu'on entend le mot, on volette ! a encore dit Jean-Lino, et il s'est mis, yeux mi-clos et bras repliés, à agiter les mains au niveau des épaules, d'une façon si incongrue que Georges Verbot s'est esclaffé. Un rire rauque et aviné qui a mis tout le monde mal à l'aise sauf Jean-Lino, enchanté, qui a encore amélioré son numéro d'envol en allongeant son cou et émettant, je crois bien, quelques gloussements complétés par des mouvements rotatoires d'épaules et d'omoplates. On n'était pas loin d'une sorte d'incarnation. Georges a déclaré qu'il allait créer le personnage du poulet bio. Un terroriste nouvelle génération, qui diffuserait – est-ce que ça s'appellerait *acts of devil*? – des virus bactériologiques. Il le visualisait déjà et lui foutrait autour du cou une écharpe en mérinos. Puis se penchant vers Catherine Mussin qui le lorgnait avec terreur, il lui a susurré, le mérinos, tu vois ? Les moutons atrocement tondus et mutilés en Australie.

En y repensant, il me semble que Lydie n'a plus ouvert la bouche de la soirée. Pierre, quoique moins enclin à observer les gens, partage mon sentiment. Sur le moment bien sûr, personne n'y a fait attention. C'était quand même une belle fête, ma fête de printemps. Je me le suis dit en regardant nos amis dans le petit salon, étalés sans souci de convenance, parlant tous plus ou moins fort, fumant, bouffant, se mélangeant. Danielle et Mathieu Crosse minaudaient en retrait dans le couloir. Jeanne et Mimi à vau-l'eau étaient vautrées comme des ados sur le pouf et gloussaient en catimini. J'ai repensé à l'expression *créer du lien*, et j'ai lancé le thème des concepts creux. On en a trouvé un paquet et parmi eux est curieusement arrivé celui de *tolérance*. C'est Nasser El Ouardi qui l'a avancé, défendant l'idée que c'était un concept stupide en amont, la tolérance ne pouvant s'exercer qu'à condition d'indifférence. Dès lors qu'il n'est plus marié à l'indifférence, a-t-il dit, le concept s'effondre. Lambert et quelques autres ont entrepris de défendre le mot mais Nasser, surélevé dans le fauteuil marocain, a maintenu son point de vue en ramenant la notion au seul verbe aimer, avec un panache qui nous a séchés. Vers onze heures, Bernard, le frère de Pierre, est arrivé avec un saucisson de la Forêt-Noire impossible à couper. De toute façon on avait entamé les desserts depuis longtemps. Il travaille comme ingénieur pour une boîte allemande en passe de développer un ascenseur qui se déplace sans câble et horizontalement. Mon beau-frère est un grand séducteur, un amoureux des premières heures, que toute femme devrait fuir dans l'instant. Catherine Mussin, qui n'est dotée d'aucun warning, s'est aussitôt emballée pour la lévitation magnétique. Les premiers arrivés ont été aussi les premiers à partir. À peine les El Ouardi se sont-ils levés que Lydie tirait Jean-Lino par la manche. Je réalise maintenant que Jean-Lino partait à regret. Les El Ouardi et les Manoscrivi se sont quittés en s'embrassant sur le paillasson de leur rencontre. Il a même été question d'aller, un de ces quatre, applaudir Lydie dans une *jam session*.

Pour finir il ne restait plus que les Dienesmann, Bernard et nous. Bernard a aussitôt déblatéré sur Catherine Mussin, nous engueulant de ne pas être venus le délivrer. Elle lui aurait dit qu'elle était dans sa troisième saison. Une femme qui te dit je suis dans ma troisième saison t'astringe la bite définitivement ! On lui a raconté l'incident avec Georges qui a eu toute sa sympathie. Et puis on a reparlé de la neige. Et des cycles, de l'absurdité de croire en un temps linéaire, du passé qui n'existe plus, du présent qui n'existe pas. Étienne a raconté qu'autrefois, quand il faisait des balades avec son père en montagne, déjà avec Merle, ils marchaient bien au-devant de lui, coupant les chemins, dévalant les pentes, ils étaient *les jeunes*. Ensuite, avec leurs propres enfants, ils ont marché devant aussi pendant longtemps. On se retournait, on disait, on s'emmerde les gars à vous attendre ! a dit Étienne. Aujourd'hui, au bout de trois pas, ils sont déjà hors de vue. Irrattrapables sans même s'en rendre compte, comme on devait l'être. On attendait mon père en bas des côtes. Quand il surgissait au tournant du sentier, il prenait la tête de celui qui a flâné volontairement, par goût du beau. Il disait, vous avez vu le parterre de gentianes ? Et les myosotis ?... Maintenant c'est nous qui ralentissons le train, a dit Étienne. Les délicatesses de la nature nous freinent nous aussi. Ça va vite tout ça bordel. Enfin, je vais bientôt avoir une bonne excuse avec mes yeux !... On était bien tous les cinq dans la nuit, pieds sur la table basse, paisibles et un peu vieux, dans le foutoir de la maison. On était bien dans notre monde de nostalgies et de bavardages, buvant encore de l'eau-de-vie de poire. J'ai pensé qu'Étienne avait eu de la chance de marcher en montagne avec son père. Mon père n'était pas vraiment le genre de type avec qui on pouvait marcher en montagne. Ni marcher où que ce soit d'ailleurs. Quant aux myosotis !

En nous quittant, Bernard a demandé qui étaient la femme aux cheveux rouges et le type à la mèche giscardienne. Nos voisins du dessus, on a dit. Ils sont marrants, a dit Bernard, j'aime bien lui. On s'est mis sur le balcon pour les regarder partir. Bernard avec sa moto et son gros casque. Les Dienesmann contournant l'immeuble en se tenant par la taille. Plus trace de neige, le ciel était étoilé et l'air presque doux.
J'ai dit à Pierre, tu m'as trouvée jolie ?
– Très.
– Tu n'as pas trouvé que Jeanne était resplendissante ?
– Elle était bien.
– Mieux que moi ?
– Non, vous étiez très bien toutes les deux.
– Elle fait plus jeune ?
– Non, pas du tout.

– Je ne fais pas plus jeune quand même ?

– Vous faites pareil.

– Tu me connaîtrais pas, tu nous verrais toutes les deux, laquelle tu trouverais la mieux ?

– Et si on rangeait tout demain ?

– Tu irais spontanément vers qui ?

– Vers toi.

– Serge a dû lui dire la même chose dans l'ascenseur.

– Mathématique.

– Vous n'avez aucune crédibilité. Tu as aimé ses chaussures ? Tu ne trouves pas hideuses ces lanières ? Tu ne trouves pas ça fou de mettre ça à son âge ?

– Il reste une tortilla… Les trois quarts du pain au poulet dégueulasse…

– C'est vrai qu'il était dégueulasse.

– Immangeable. Je le balance… Une énorme salade de riz… Du fromage pour dix ans… Personne n'a touché au pâté de foie…

– J'ai oublié de le sortir !

– La saucisse de la Forêt-Noire, tu peux assassiner un type avec.

– Balance-la. Gentil le Tartakover.

– Mon édition était antérieure.

– Gentil quand même.

– Oui.

– Georges est arrivé déjà bourré.

– Il est bourré à huit heures du matin.

– Pourquoi tu l'invites ?

– Il est seul.

– Il fait une ambiance horrible.

– Allons nous coucher.

On a continué à débriefer dans la salle de bain.

– Danielle et Mathieu Crosse, tu penses que c'est possible ? j'ai lancé.

– Il a l'air très chaud, elle je ne sais pas.

– J'aurais dit l'inverse. Je l'appelle demain matin.

– Quant à ta copine d'en haut, la Lydie, elle trace à fond dans l'espace intersidéral.

– Ah, tu trouves ! j'ai ri. Sur une île déserte : Claudette El Ouardi ou Lydie Gumbiner ?

– Lydie ! Cent fois Lydie !

– Claudette El Ouardi ou Catherine Mussin ?

– Claudette. Au moins tu peux discuter.

– Catherine Mussin ou Marie-Jo ?

– Difficile… Mussin, en la bâillonnant. À toi : Georges Verbot ou Lambert ?

– Non. Impossible.

– Obligée.

– Alors, je le lave et je lui récure les dents : Georges Verbot.

– Salope.

Une fois dans le lit, j'ai demandé à Pierre pourquoi on n'avait jamais utilisé fouet, menottes et compagnie. Il a eu une réaction épouvantable, il a ri. C'est vrai que ça n'aurait aucun sens entre nous. Il m'a dit, Georges ou Bernard ? J'ai répondu Bernard sans hésiter. Il a dit, il te plaît ce con ! Et ça a suffi à nous exciter.

J'étais presque endormie quand j'ai perçu un bruit qui ressemblait à une sonnette. Pierre avait mis sa lampe frontale pour relire un vieux SAS (depuis la mort de Gérard de Villiers, il souffre de ne pouvoir en lire de nouveaux). Je l'ai senti se raidir mais le silence régnait. Quelques minutes plus tard, on a entendu de nouveau le même tintement. Pierre s'est redressé pour écouter plus attentivement, il m'a tapotée et a dit en chuchotant, on a sonné. Il était deux heures cinq. On a attendu tous les deux, légèrement penchés en avant, lui toujours avec sa lampe frontale. Quelqu'un sonnait. Pierre est sorti du lit, il a enfilé un tee-shirt et un caleçon et est allé voir. Dans l'œilleton, il a reconnu Jean-Lino. Il a tout de suite pensé à une fuite d'eau ou ce genre de choses. Il a ouvert. Jean-Lino a fixé Pierre, il a eu un mouvement de bouche étrange, puis tout en gardant sa lèvre inférieure en forme de seau, il a dit, j'ai tué Lydie. Sur le coup, Pierre n'a pas vraiment intégré la phrase. Il s'est dégagé pour laisser Jean-Lino entrer. Jean-Lino est entré et est resté debout les bras ballants près de la porte. Pierre aussi. Ils sont restés tous les deux en attente dans le vestibule. Je suis arrivée en pyjama – une nuisette Hello Kitty, et un bas de pyjama à carreaux en flanelle. J'ai dit, qu'est-ce qui se passe Jean-Lino ? Il ne disait rien, il regardait Pierre – Qu'est-ce qui se passe Pierre ? Je ne sais pas, allons dans le salon, a dit Pierre. Nous sommes allés dans le salon. Pierre a allumé une lampe et a dit, asseyez-vous Jean-Lino. Il lui a présenté le canapé sur lequel il avait déjà passé la plus grande partie de sa soirée mais Jean-Lino s'est assis sur la chaise marocaine inconfortable. Pierre s'est mis sur le canapé et m'a fait signe de venir près de lui. J'avais honte du salon. On avait eu la flemme de ranger. On s'était dit on fera tout ça demain. On avait vidé les cendriers mais ça sentait la cigarette. Il y avait des serviettes froissées, des couverts éparpillés, des coupelles de chips… Sur le coffre il y avait encore un alignement de verres intouchés. Je voulais mettre un peu d'ordre mais j'ai senti que je devais m'asseoir. Jean-Lino était plus haut que nous sur la chaise marocaine. Sa mèche recouvrante pendait à moitié sur le côté droit, l'autre partie flottait vers l'arrière, c'était la première fois que je voyais le crâne à nu. Il y a eu une sorte de silence et puis j'ai dit doucement, qu'est-ce qui se passe Jean-Lino ? On observait sa bouche. Une bouche en recherche de formes diverses. Apporte-nous un petit cognac Élisabeth, a dit Pierre.

– Pour toi aussi ?

– Oui.

J'ai pris trois verres à vodka et je les ai remplis de cognac. Jean-Lino a bu son verre d'un trait. Quelque chose d'autre était bizarre dans son visage. Pierre l'a resservi et nous on a siroté aussi. Je ne comprenais pas ce qu'on faisait tous les trois en pleine nuit dans le salon dégueulasse et presque pas éclairé à reboire. Au bout d'un moment, Pierre a dit, d'une voix ordinaire, comme s'il posait une question aimable, vous avez tué Lydie ? Je l'ai regardé, j'ai regardé Jean-Lino et j'ai dit en rigolant, vous avez tué Lydie ! Jean-Lino a mis ses avant-bras sur les accoudoirs mais cette chaise n'est pas faite pour ça et l'espace d'une seconde il m'a paru sanglé sur une chaise électrique. J'ai réalisé qu'il n'avait pas de lunettes. Je ne l'avais jamais vu sans lunettes. Où est Lydie ? j'ai dit.

– Je l'ai étranglée.

– Vous avez étranglé Lydie ?

Il a hoché la tête.

– Je ne comprends pas ce que ça veut dire.

– Qu'est-ce que tu ne comprends pas ? Il a étranglé Lydie, a dit Pierre.

– Elle est où ?

Jean-Lino a fait un geste en direction du haut.

– Elle est morte ? a demandé Pierre.

Il a hoché la tête et fermé les yeux.

– Peut-être pas, a dit Pierre, allons vérifier.

Nous nous sommes levés Pierre et moi. J'ai couru dans ma chambre pour attraper un sweater et mettre mes chaussons. Quand je suis revenue dans le salon, Jean-Lino n'avait pas bougé

d'un pouce. Allons voir, Jean-Lino, l'encoura-
geait Pierre, si ça se trouve elle vit. Vous savez,
on n'étrangle pas comme ça.

– Elle est morte, a dit Jean-Lino d'une voix
caverneuse.

– Pas sûr, pas sûr, montons !

Pierre commençait à s'agacer. Il m'incitait par
signes à intervenir. J'ai attrapé le bras de Jean-
Lino. Il était d'une raideur inouïe et restait
cramponné au fauteuil marocain. J'ai essayé de
le rassurer en lui murmurant des mots gentils.
J'ai dit, Jean-Lino, vous ne pouvez pas rester
toute la nuit sur ce fauteuil.

– D'autant que vous êtes le seul à vouloir rester
dessus, a voulu dédramatiser Pierre.

– Ça c'est vrai, j'ai confirmé.

– Chaque seconde compte ! On perd du
temps !

– Il a raison…

– Ressaisissez-vous Jean-Lino !

– Elle est morte je vous dis !

Pierre s'est laissé choir sur le canapé, son pied
s'est pris dans le fil de la lampe qui est tombée
par terre et nous a plongés dans le presque noir.

– Putain, j'ai besoin de tout ça !

J'ai allumé le plafonnier qu'on n'allume
jamais. Pas le plafonnier, pas le plafonnier par
pitié ! a gémi Pierre. J'ai allumé un lampadaire.
Jean-Lino a affronté les éclairages successifs en
conservant sa posture marmoréenne. Je ne savais

plus quoi faire entre un mari vautré dans la position du type qui choisit de tout laisser à vau-l'eau et un Jean-Lino fossilisé et méconnaissable. On avait tous trop bu. J'ai commencé à ranger le salon. J'ai débarrassé les verres, les bouteilles, tout ce qui traînait. J'ai secoué la nappe du coffre sur le balcon. J'ai disposé, en rang, près de la porte, les chaises prêtées par Lydie. J'ai rapporté l'aspirateur à main, mon Rowenta adoré, pour enlever les miettes. J'ai commencé à aspirer la table basse, le tapis en dessous, Pierre est sorti de son amollissement et me l'a arraché des mains. C'est le moment de faire ça ! Tu penses que c'est l'heure de faire le ménage ? Il s'est relevé, tenant le Rowenta comme un fusil-mitrailleur, et il a dit à Jean-Lino, bon mon vieux, maintenant on monte, allez, hop ! Jean-Lino a esquissé un mouvement mais il semblait rivé à sa chaise marocaine, incapable de s'en extraire. Pierre a remis en marche l'aspirateur manuel en direction de la poitrine de Jean-Lino, happant un pan de chemise avec un bruit inusité. J'ai crié, qu'est-ce que tu fais ? Jean-Lino a été terrifié par cette aspiration et s'est mis debout dans une attitude de défense. J'ai su à cet instant qu'on allait vraiment y aller là-haut. Jean-Lino a replacé sa mèche recouvrante en la lissant plusieurs fois de façon compulsive, je l'ai doucement emmené vers l'entrée. Pierre a enfilé des chaussures de ville et nous avons quitté l'appartement. Nous sommes montés à pied, dans la lumière jaunâtre de la cage, Pierre devant, en caleçon évasé rose pâle, jambes nues et mocassins, Jean-Lino dans ses vêtements de soirée défraîchis et moi derrière en pyjama et pantoufles en fausse fourrure. Arrivé sur son palier, Jean-Lino a farfouillé dans ses poches avant de sortir la bonne clé, on entendait derrière la porte Eduardo miauloter et gratter, Jean-Lino lui susurrait des petits mots, *sono io gioia mia, sta' tranquillo cucciolino.* J'ai pris la main de Pierre, je me sentais un peu anxieuse avec en même temps une envie terrible de m'avancer dans l'épaisseur de la nuit.

Nous sommes entrés. Il n'a pas allumé la lumière du vestibule. Eduardo glissait entre nos jambes avec un dos de dromadaire. Au bout du couloir, la salle de bain et la chambre étaient éclairées. Jean-Lino a repris sa position d'attente, épaules hautes, bras ballants comme chez nous au même endroit. Elle est où ? a dit Pierre en chuchotant. J'ai trouvé bizarre ce chuchotement et en même temps je comprenais qu'il n'y avait pas moyen de parler à volume normal. Jean-Lino a penché sa tête vers la chambre. Pierre s'est engagé dans le couloir. Avec moi derrière. Du couloir on la voyait déjà. Pieds côté tête de lit, robe chiffonnée, encore habillée comme chez nous. Pierre a poussé la porte. Elle gisait la mâchoire pendante, les yeux grands ouverts et exorbités sous le poster de Nina Simone dans sa robe de cordage avec ses pendentifs sans fin. On voyait tout de suite que c'était très grave. Dans un élan de professionnalisme (séries ? polars ?) Pierre a saisi son poignet pour vérifier le pouls. Jean-Lino est apparu dans l'embrasure, hochant la tête comme un témoin lugubrement soulagé de voir confirmer son impression première. Il avait remis ses lunettes sable. Pierre a regardé Jean-Lino avec effarement. Il a dit, vous l'avez vraiment… Elle est morte. Jean-Lino a acquiescé. Plus personne n'a bougé. Puis Pierre a dit, il faudrait peut-être… peut-être lui fermer les yeux.

– Oui…

– Je vous laisse faire…

Jean-Lino s'est approché de Lydie et a passé sa main sur ses paupières, un geste d'épure religieuse. Mais le menton pendait toujours. J'ai dit, on ne peut pas la remettre un peu mieux ?… Jean-Lino a ouvert un tiroir où il y avait toutes sortes de foulards, j'ai pris le premier venu, un voile transparent avec un motif de fleurs pâles, Jean-Lino a refermé la bouche en appuyant, j'ai enveloppé la tête et j'ai serré le nœud au maximum sous le menton. Elle était beaucoup plus agréable à regarder. Elle avait l'air de faire une petite sieste dehors sous un arbre. Et pourquoi, on ne sait pas, Jean-Lino lui a aussi remis aux pieds ses chaussures, des escarpins à bride rouges avec un nœud plat. Je voyais ces extrémités sur le couvre-lit en boutis, c'était impensable que ces pieds et le bracelet à cheville avec breloques n'appartiennent plus à personne. Je me suis surprise à cadrer l'image dans ma tête : de la lisière de la robe jusqu'au bord du lit en laissant quelques centimètres de mur, les jambes fines, les pieds ensatinés, offerts sur un tissu matelassé comme après un amour brutal. L'image déjà passée de Lydie Gumbiner. Une breloque était plus longue que les autres, je n'avais pas mes lunettes mais j'ai cru reconnaître un hibou ou une chouette. Qu'avait signifié cet oiseau qui pendait le long de la peau ? Sur la commode, il y avait aussi une chouette en étain. Pour supporter la vie sur terre on s'accompagne d'éléments fabuleux. Ce sont eux qui me captivent quand je regarde le monde arrêté des photographies, tous ces détails comme des élégies. Fringues, bricoles, talismans, tous les fragments d'attirail chics ou miteux soutiennent les hommes en silence. Pierre a dit, maintenant il faut appeler la police, Jean-Lino.

– La police. Ah non, non, non.

Pierre m'a jeté un petit coup d'œil.

– Mais qu'est-ce que vous comptez faire ?…

– Non, pas la police.

– Jean-Lino, vous avez… Il vous est arrivé ce drame… Vous êtes venu nous voir… Qu'est-ce qu'on peut faire pour vous ?

Pierre se tenait debout près d'une commode, la gravité du ton et l'expression bigote des mains étant un peu atténuées par le caleçon-jupette rose. Jean-Lino, tête baissée, suivait les mouvements d'Eduardo autour du lit.

– Vous voulez qu'on appelle quelqu'un ?... Un avocat ? Je connais un avocat.

Eduardo est monté sur le pot de chambre. Un pot de chambre en faïence avec un plateau de bois rond par-dessus (plateau à fromage ?) et j'ai pensé que ce n'était pas une mauvaise idée ce pot de chambre au pied du lit, moi qui me lève trois fois par nuit pour pisser. Jean-Lino a dit, *non sul vaso da notte micino*, avec une petite caresse censée le faire redescendre. Eduardo s'en est foutu, occupé par l'examen, à exacte hauteur de sa vue, du corps de Lydie.

– *Ti ha fatto male, eh, piccolino mio...*

– Jean-Lino, il va falloir être un peu coopérant, a repris Pierre.

– Allons dans le salon peut-être ? j'ai dit.

– *Povero patatino...*

Pierre est allé jeter un coup d'œil par la fenêtre. Il a fermé les rideaux. Mocassins en canard et caleçon vaporeux, il a déclaré, alors moi je vais vous dire Jean-Lino, si vous n'appelez pas la police, à un moment donné c'est nous qui allons le faire.

– Ce n'est pas à nous de le faire ! j'ai protesté.

– Ce n'est pas à nous de le faire. Mais il faut que quelqu'un le fasse.

– Ne restons pas dans cette chambre, allons réfléchir calmement.

– Réfléchir à quoi Élisabeth ? Cette femme a été étranglée par son mari, un accès passionnel, on ne demande pas de détails, il faut appeler la police. Et vous Jean-Lino, revenez sur terre. Et dites quelque chose, dans une langue qu'on peut comprendre, parce que ces gnangnantises avec le putain de chat italien ça commence à me gonfler.

– Il est choqué.

– Il est choqué, oui. On est tous choqués.

– Essayons de ne pas nous énerver Pierre… Jean-Lino, qu'est-ce que vous proposez ?… Jean-Lino ?…

Pierre s'est assis dans le fauteuil en velours jaune. Jean-Lino a sorti le paquet de Chesterfield de sa poche et s'en est allumé une. La fumée s'est répandue sur Lydie. Il a aussitôt cherché à la disperser avec sa main. Et puis, regardant sa femme avec tristesse m'a-t-il semblé, il a dit, est-ce que je pourrais vous parler seul à seule deux secondes, Élisabeth ?

– Qu'est-ce que vous voulez lui dire ?

– Deux secondes, Pierre.

Je lui ai fait un petit signe dans le genre la situation est sous contrôle, et j'ai pris le bras de Jean-Lino pour le conduire hors de la chambre. Jean-Lino s'est engouffré dans la salle de bain en refermant la porte derrière moi. À voix ultra-feutrée et sans rien allumer, il a dit :

– Est-ce que vous pourriez m'aider à la mettre dans l'ascenseur ?…

– Mais… comment ?

– Dans une valise…

– Dans une valise ?…

– Elle est menue, elle ne pèse pas lourd… Il faudrait l'accompagner jusqu'en bas… Je ne peux pas prendre l'ascenseur.

– Pourquoi l'accompagner ?

– Pour gérer l'arrivée. Au cas où quelqu'un aurait appelé d'en bas.

Ça m'a paru logique.

– Vous allez en faire quoi ?…

– Je sais où la mettre…

– Vous allez l'emmener en voiture ?

– Elle est juste devant. Aidez-moi seulement à la descendre Élisabeth, je m'occupe du reste… Il y avait une odeur de lessive que je connaissais. On était dans l'obscurité complète. Je ne le voyais pas. J'entendais l'urgence et la détresse de la voix. Je me suis dit qu'il faudrait aussi s'assurer de l'aspect désertique du parking… La porte s'est ouverte brutalement.

– Tu comptes aider ce dingue à fourrer sa femme dans l'ascenseur, Élisabeth ?!…

Pierre m'a agrippé le bras avec des doigts d'acier (il a de belles mains et fortes).

– On redescend et j'appelle les flics.

Il me tirait, je résistais en m'accrochant à des peignoirs pendus sur une patère, autant dire que ça a duré même pas trois secondes. On a dû actionner un interrupteur car un néon mural s'est allumé. Tout est devenu jaune, de ce jaune d'autrefois comme celui qu'on avait à Puteaux. Allez-y, Élisabeth, retournez chez vous ma petite Élisabeth, je suis fou, il faut me laisser, a imploré Jean-Lino bras tendus en avant.

— Mais qu'est-ce que vous allez faire, Jean-Lino ? j'ai dit.

Il a pris sa tête dans ses avant-bras et s'est assis sur le rebord de la baignoire. Dans un léger balancement et sans nous regarder, il a gémi, je vais me ressaisir, je vais me ressaisir. Il me faisait une peine folle, recroquevillé, le cheveu en désordre, sous l'étendoir à linge mural, dans la salle de bain encombrée.

Pierre recommençait à me tirer. J'ai dit, arrête de me tirer !

— Tu veux aller en taule ? Tu veux nous foutre tous en taule ?

— Qu'est-ce qui s'est passé Jean-Lino ? Vous avez eu un coup de folie ?

Jean-Lino a marmonné quelque chose. Pierre a dit, on ne comprend pas ce que vous dites ! Sans nous regarder et en s'appliquant comme un enfant grondé, Jean-Lino a dit, elle a donné un coup de pied à Eduardo.

— Lydie a donné un coup de pied à Eduardo ?! j'ai répété.

— Elle a donné un coup de pied au chat, et il l'a étranglée. Et nous, on se tire.

– Mais elle adore les animaux ! j'ai dit.

Jean-Lino a haussé les épaules.

– Elle m'a fait signer une pétition cet après-midi même !

– Quelle pétition tu as signée ?

– Une pétition contre le broyage des poussins !

– Allez, allez, ça suffit, a dit Pierre excédé en me poussant vers la porte d'entrée.

Hérissé et dents menaçantes, Eduardo s'était faufilé dans l'embrasure de la salle de bain.

– *Non aver paura tesoro…* Il a des calculs rénaux le pauvre.

– Vous allez appeler la police Jean-Lino ? j'ai demandé. Il faut que ce soit vous qui le fassiez.

– Il n'y a aucune autre solution, a dit Pierre.

– Oui…

– Aucune autre, Jean-Lino.

– Oui.

Pierre a ouvert la porte et m'a jetée sur le palier. Avant qu'il ne la ferme, j'ai crié, vous voulez qu'on reste avec vous ?

– Réveille tout l'immeuble ! a susurré Pierre en fermant précautionneusement la porte. Puis il m'a entraînée dans l'escalier, me tenant avec sa main d'acier. Chez nous, il m'a encore conduite jusqu'au salon comme s'il fallait éviter de se faire entendre. Il a voulu tirer les rideaux qui sont purement décoratifs et en a arraché un coin.

– Qu'est-ce que tu fabriques ?!

– Quelle connerie ces pans !

Il s'est envoyé une rasade de cognac.

– Tu étais prête à l'aider à se débarrasser du corps, Élisabeth ?

– C'est offensant que tu sois venu écouter à la porte.

– Tu étais prête à prendre l'ascenseur avec un cadavre ?… Tu te voyais descendre seule, quatre étages avec un macchabée ?… Réponds s'il te plaît.

– Dans une valise.

– Oh excuse-moi !

– Tu le saurais si tu avais patienté un peu plus.

– Tu réalises de quoi on parle ? C'est vraiment grave Élisabeth.

J'avais froid subitement, et mal au crâne. J'ai mis un châle et je suis allée faire chauffer de l'eau dans la cuisine. Je suis revenue avec ma tisane et je me suis recroquevillée dans un coin du canapé, à l'opposé de l'endroit où s'étaient tenus les Manoscrivi. Pierre errait, debout. J'ai dit, je trouve terrible de l'avoir abandonné. Il s'est assis près de moi en me frottant l'épaule, un geste dont on ne pouvait dire s'il avait pour objet de me réchauffer ou de tempérer un esprit dérangé. De l'autre côté du parking, l'immeuble était entièrement éteint. On devait être les seuls à ne pas avoir cédé à la nuit. Nous et les voisins du dessus. Lydie, veillée par le chat noir, étendue dans sa robe de bal, Jean-Lino, abandonné sous le linge pendant. Dans un livre de contes que j'avais autrefois, après s'être piquée au fuseau, la princesse tombait dans un profond sommeil. On la faisait mettre sur un lit brodé d'or et d'argent, elle avait les mêmes cheveux de corail et ses lèvres étaient incarnates. Un texto est arrivé sur mon portable. Pierre a dit, tu ne lui réponds pas !

– Mais c'est ton fils !

Emmanuel avait écrit « Super ta fête de printemps maman ! » accompagné d'un smiley et d'un bonhomme de neige. Ça m'a mis les larmes aux yeux, sans que je comprenne pourquoi. Ce message au milieu de la nuit. Le bonhomme de neige. Cette petite figurine de la joie qui vous renvoie immédiatement à tout ce qui passe, à la perte. Les enfants sont loin devant, comme les enfants d'Étienne et Merle sur le chemin de montagne. Comme je m'étais moi-même élancée loin, très loin de mes parents. Ce ne sont pas les grandes trahisons, mais la répétition des pertes infimes qui est la cause de la mélancolie. Quand Emmanuel était enfant, il avait un magasin. Une petite table basse, dans un coin de sa chambre, où était disposée la marchandise et derrière laquelle il était assis. Il vendait des trucs qu'il fabriquait lui-même, toutes sortes de rouleaux en carton peints avec des motifs décoratifs, rouleaux de Sopalin, de papier toilette, des éléments ramassés dans la nature, des glands, des brindilles, peints également, des personnages en pâte à modeler. Il avait fabriqué une monnaie spéciale, le « pestos », uniquement en billets, des papiers déchirés n'importe comment. Chaque jour, il annonçait depuis la chambre : « Le magasin est ouvert ! » Ni Pierre ni moi ne réagissions car on était habitués à cette phrase. Comme il ne la répétait pas, s'ensuivait un grand silence. Il arrivait un moment où je me souvenais l'avoir entendue et où je l'imaginais tout seul, petit commerçant derrière son comptoir, attendant le client. J'y allais en emportant le porte-monnaie de pestos. Il était content de me voir arriver, mais en même temps assez professionnel. Nous nous vouvoyions. Je faisais mon choix, je payais et repartais avec mon sac de pierres de torrent et de marrons peints, des visages sur la rondelle blanche, qui souriaient ou qui faisaient la tronche. Dans la liste des concepts creux, on avait mis en bonne place le *devoir de mémoire*. Quelle expression inepte ! Le temps passé, en bien ou en mal, est une brassée de feuilles mortes auxquelles il faudrait mettre le feu. On avait aussi distingué le *travail de deuil*. Deux expressions absolument vides de sens et qui plus est contradictoires. J'ai dit à Pierre, je réponds quoi ?

– Tu peux lui dire que le voisin a buté sa femme une heure après.

– Il pense qu'on dort de toute façon.

On s'est recouverts tous les deux avec le châle comme si on allait passer la nuit sur ce sofa. Soudain il s'est levé, je l'ai entendu fourrager dans l'entrée. Il est revenu avec la boîte à outils et l'escabeau qu'il a déplié devant la fenêtre. Je l'ai regardé gravir les marches dans son caleçon-jupette et ses mocassins. Mû par une énergie fébrile, il a entrepris de réparer la tringle à rideaux.

Les galets étaient coincés dans le rail et l'ourlet de tissu déchiré. Il a tenté un bricolage. Il m'a demandé en farfouillant dans la boîte si on avait des crochets de rechange. J'ai dit que je n'en savais rien. Il s'est énervé, a tiré le cordon, a tiré le pan en lin en faisant sauter toutes les attaches pour finir par arracher hargneusement l'ensemble. Je n'ai eu aucune réaction. Pierre s'est assis sur le sommet de l'escabeau, voûté, bide en avant, mains croisées, avant-bras sur les cuisses. Nous sommes restés un curieux moment comme ça, sans parler. J'ai été prise d'un fou rire, un truc d'arrière-gorge que j'ai plus ou moins étouffé dans un coussin. Il est redescendu, a replié son escabeau et l'a rapporté dans l'entrée avec la boîte à outils. En revenant il a dit, je vais me coucher.

– Oui.

– Allons nous coucher.

– Oui...

Le petit bouquet de roses mauves de Jean-Lino était plongé dans un verre d'eau sur un rebord de la bibliothèque. Je n'avais même pas pris soin d'enlever la ficelle. J'ai cherché un autre récipient et pour finir je les ai mises dans un flacon à parfum. Quand on avait été voir la tante dans son asile, Jean-Lino avait acheté un bouquet d'anémones. Il m'avait dit, offrez-le-vous. Je tenais le bouquet dans un couloir en attendant la tante. Il y avait des rampes en bois des deux côtés des murs, une femme marchait de dos, avec une canne et des bas de contention épais. La tante avait surgi avec son déambulateur et foncé directement vers la cafétéria. J'avais offert les fleurs avec maladresse, la tante se fichait des fleurs coupées de Paris. Elles étaient restées dans un verre dans la salle commune. J'ai posé le flacon sur la table basse. Les roses paraissaient fausses. L'ensemble dans ce cristal terni avait l'air d'une déco sur une pierre tombale. Ou peut-être était-ce le sentiment d'anomalie dû à l'heure et à la situation. Que faisait Jean-Lino tout seul là-haut ? Pierre m'a appelée de la chambre. J'ai dit, j'arrive… Comment avions-nous pu le laisser ?

Il nous avait entraînés Pierre et moi à la Courette du Temple, un de ces cafés qui se transforment en club de jazz trois fois par semaine. Il avait tout organisé, c'est-à-dire une arrivée une demi-heure à l'avance dans un endroit quasi vide à part les musiciens au bar. Des enceintes murales diffusaient des standards devant un renfoncement de petites tables rondes. Jean-Lino, vêtu *cosy*, nous avait installés quasiment en bordure d'une estrade minuscule où attendaient piano, contrebasse et batterie. On a dit, aussi près ? Mais il voulait qu'on voie Lydie sans être gênés par un poteau ou d'autres spectateurs. Je pense plutôt qu'il retrouvait comme à chaque fois *sa* place, sa place inaugurale. Il avait tout de suite hélé le patron, fait les présentations en intime, commandé trois punchs sans nous demander notre avis. Les gens étaient apparus peu à peu, des gens de tous âges, des tenues hors mode. Je me souviens d'un type aux cheveux argentés, cartonnés en hauteur, qui allait et venait en blouson à revers de mouton blanc sur chemise rouge. Certains écrivaient leur nom sur une ardoise qui pendait sur un pied de micro. Ils s'inscrivent pour la jam, avait commenté Jean-Lino. Lydie était arrivée radieuse et effervescente, se jetant sur l'ardoise avant même de nous rejoindre. Au début les musiciens avaient joué seuls, puis le trompettiste avait chanté *I Fall in Love Too Easily*. Je m'étais dit que ça faisait longtemps que je ne tombais pas amoureuse *easily*, et longtemps aussi que je n'allais plus m'asseoir avec des inconnus dans cette chaleur bordélique. Après ça les chanteurs s'étaient présentés avec leur partition en main. On ovationnait gentiment quelle que soit la prestation. Jean-Lino était le plus grand applaudisseur. Une femme en robe à pois avait complètement détruit *Mack the Knife* dans une version allemande, l'homme au col de mouton (mon préféré, j'y repense encore), présenté par le trompettiste comme Greg, s'était lancé dans une compo personnelle. Mouvements des mains en repoussoir, adoration du micro, approbation secrète des notes de trompette en complément, il se déployait seul au monde, le casque d'argent lustré, à cinquante centimètres de nous. Jean-Lino claquait des mains, Lydie frétillait en empathie. Elle le connaissait, un habitué, en temps normal il était contrôleur à la SNCF. Elle était en train de se remettre du brillant à lèvres quand le trompettiste a dit, maintenant on va écouter : Lydie ! Jean-Lino s'est tourné vers Pierre, avec qui il n'avait jamais noué aucun lien particulier, pour lui agripper l'épaule. Il était rouge, peut-être le punch, le trac ou un sentiment d'orgueil qui lui faisait aussi lorgner les tables pour tester le degré de concentration. Lydie avait attaqué *Les Moulins de mon cœur* en confidence, d'une voix presque murmurée avant d'emplir ses poumons pour l'anneau de Saturne et le ballon de carnaval. Sous le spot frontal, le casque fauve et les anneaux d'oreille étincelaient. Elle avait une voix délicate dont le timbre m'a paru très jeune, des inflexions un peu naïves en décalage avec son physique et l'impression d'énergie coriace qu'elle dégageait. Elle chantait *Les Moulins de mon cœur* sans faire traîner les mots, comme une comptine en bordure de route, pour aller nulle part, pour passer le temps. C'était une drôle de fille qu'on aurait pu retrouver complètement ailleurs et dans une autre époque. Il fallait voir Jean-Lino. À l'épreuve de la joie, presque en lévitation sur sa chaise. Elle ne le regardait pas. S'en foutait peut-être. Elle chantait les paroles d'abandon avec une légèreté d'enfant, l'oiseau qui tombe du nid, les pas qui s'effacent, en se balançant d'un pied sur l'autre, faisant onduler ses breloques, vivant à fond l'instant avec une imperméabilité souveraine. Jean-Lino, penché en avant, veillait l'idole de son corps tendu et n'en attendait pas de retour. Une fois, me sentant l'observer, il s'était redressé comme pris en faute, me souriant heureux et confus. Pour se donner une contenance, il avait pris une photo de Lydie avec le téléphone posé sur la table, à la va-vite, sans souci de cadrage, l'enchantement dans sa pureté ne supposant aucun geste. On avait applaudi à tout rompre, tous les trois. Je savais que Pierre s'emmerdait mais il participait gentiment. Il m'a semblé que les autres tables applaudissaient Lydie aussi. Elle était restée un peu derrière le micro, dodelinante, prenant son temps avant de céder sa place, contrairement aux autres participants qui s'enfuyaient timidement dès leur prestation terminée. Avant de sortir fumer, Jean-Lino avait recommandé quatre verres de rhum Saint James, Pierre avait tenté des signes désespérés qui me faisaient pouffer, Lydie se rasseyait épanouie, tapotant son décolleté, le trompettiste disait, et maintenant on est prêt à écouter : Jean-Jacques ! C'était un soir bienveillant et gai, voué à l'oubli, au flou des innombrables soirs de la vie. Elle me semble loin maintenant cette Courette du Temple. La femme en robe à pois, l'homme qui avait cru faire *Fly Me to the Moon* à l'harmonica. Nous quatre, bourrés comme des coings sur le trottoir, nous engouffrant avant d'en être virés dans un taxi déjà occupé. Un type qui était passé dans les premiers m'avait dit, tu viens souvent ?

– Première fois.

– La première fois, on n'ose pas.

Le passé s'effondre à une vitesse ! Il devient crayeux comme le mur des oubliés. Je pense souvent au cimetière San Michele à Venise. Visité, presque seuls, avec Pierre et Bernard un jour de novembre par temps de brouillard. San Michele, infini dédale d'enclos, d'unités, de parcelles, de champs. Une île entière de tombes. Les couloirs de columbarium : des murs entiers de photos jouxtant des vases muraux d'où sortent de fausses fleurs. Des centaines de photos de gens sapés, coiffés, se marrant coquinement. On s'était perdus à déambuler au hasard sans croiser personne. C'était pendant l'heure du déjeuner, en semaine. Sur une stèle il y avait cette inscription, *Tu seras toujours avec nous, avec amour, ton Emma.* J'ai été saisie par le culot de la phrase. Comme si certains restaient éternellement sur terre. Comme si les deux mondes devaient se maintenir séparés. Il y avait un mur des oubliés dans la partie des urnes. Une façade sale et grise. Les noms et les dates étaient presque effacés. On pouvait encore lire mille neuf cent cinq sur une plaque plus claire. Aucune photo, nulle part, il n'y avait rien, sauf une ou deux excroissances de fleurs en porcelaine vissées dans la dalle. Ceux-là n'étaient plus avec personne dans notre monde. La couleur blanchâtre et noire de ce mur, je la vois comme la couleur même du passé. Dès qu'on met le pied sur terre, il faut renoncer à toute idée de permanence. Près du Rialto, le même jour de brouillard, Pierre m'a offert une cape courte en cachemire chiné marron et bleu. Je l'avais vue présentée sur un bustier, en vitrine d'un magasin mal éclairé. La porte s'ouvrait difficilement et l'homme était venu nous aider avec un bras à moitié paralysé. L'intérieur était mangé par un énorme comptoir. Sur les murs, des rayonnages supportaient une marchandise presque entièrement emballée. Avec son bras valide, il a sorti d'un tiroir plusieurs capes de différentes couleurs dans leur pochette transparente. Aucune de la bonne teinte. Quand il a compris qu'il devrait défaire celle de la devanture, il a maugréé quelque chose en direction de l'arrière-boutique. Une femme est arrivée, pas plus souriante que lui, la tête dans les épaules, habillée comme si elle était dehors (il faisait frais dans la boutique). Elle a déplacé un escabeau pour accéder à la vitrine et s'est mise à défaire les épingles qui attachaient la cape au mannequin. J'ai essayé la cape devant un miroir où on ne voyait rien. Je me suis tournée vers les hommes. Pierre a trouvé pas mal, Bernard a trouvé que ça faisait mémère. Le couple ne disait absolument rien. Ils semblaient vieux et désintéressés. Nous avons acheté la cape, très peu chère. La femme l'a pliée avec soin et mise dans une jolie pochette, que j'ai toujours, où était écrit *Cashmere Made in Italy*. Ils n'ont montré aucune joie de cette vente qui serait peut-être la seule de la journée. Ils devaient être là depuis des années, avoir vu disparaître peu à peu leur clientèle, les gens élégants du quartier, partis ou bien morts. Quand ils s'en iront, des Chinois prendront le local pour vendre des sacs. Les mêmes sacs en cuir colorés qui pendent, exposés tous les cent mètres dans la ville. Ou un marchand de glaces avec des néons ultraviolents. Ou alors, bien qu'il y ait peu de chances, des plus jeunes ouvriront un magasin mode. Mais le magasin mode fait partie du même monde transitoire que les sacs. Le couple désagréable appartenait à une humanité plus lente. Je dis plus lente et non plus constante. Ils étaient quelque part dans le paysage, ils persistent encore un peu dans mon souvenir.

À Pasteur, le bâtiment dans lequel se trouve notre service est l'ancien hôpital. Il a été construit au début du vingtième siècle et est classé. Il est en pierre et brique rouge à l'image du bâtiment historique. Les deux ailes sont séparées par des jardins et reliées par une merveilleuse serre désaffectée car la verrière pourrait s'effondrer. Les plantes continuent pourtant d'y croître comme dans une petite jungle. La fenêtre de mon bureau au rez-de-chaussée donne sur une haie et des arbres. Derrière il y a un bâtiment récent dont la façade est en verre. Les jours où le soleil brille, la façade du nôtre s'y reflète. Je rêvasse, je me transpose pour imaginer la vie dedans, autrefois, au temps de l'isolement des contagieux, des lits en bois, des infirmières avec coiffe ou voile blanc. Je vois des choses que je ne voyais pas avant.

Au bout d'un moment je n'ai plus entendu aucun bruit dans la chambre. Je suis allée voir. Pierre était enfoui de son côté. Il s'était endormi. Endormi. Tandis que juste au-dessus, de l'autre côté du plafond… Je me suis assise sur le bord du lit et j'ai regardé ses cheveux grisonnants.

J'aime beaucoup ses cheveux. Ils sont drus et ondulés. Je les ai caressés. Il dormait. Ça m'a consternée. Lui-même, plus tard, a attribué le coup de barre aux verres successifs sifflés dans la panique et le désordre tout au long de la soirée. Peu importe. Il s'était couché, il avait remonté ses draps, il s'était mis dans la position de l'homme qui consent au sommeil. Il m'avait laissée toute seule. Sans surveillance. Il était venu me récupérer avec ses doigts d'acier pour rien. Je voulais bien obéir à la voix paternelle pour autant qu'elle reste ferme. La voix sévère avait grondé deux petites secondes avant de lâcher l'affaire. Le type qui dort te quitte. Il ne s'inquiète plus de toi. Je l'avais trouvé un peu ridicule en rigoriste à deux doigts d'appeler les flics mais je m'étais dit, il a peur pour moi. Il me protège. En fait il m'avait rapatriée au bercail et se lavait les mains de la suite. Ni inquiétude, ni souci d'autrui. Encore une promesse non tenue. Et comment comprendre, avais-je pensé au bord du lit, dans le noir, son absence de curiosité. Pierre n'a jamais été sensible aux faits divers criminels, à la misère du commun. Il n'y voit aucune dimension de ténèbres. Pour lui ça sent le pipi ou c'est des dégueulasses. En un sens je suis plus proche de Ginette Anicé que de mon mari. Je suis allée dans la salle de bain. Je me suis assise sur la lunette des toilettes et j'ai analysé les échantillons qu'on m'avait donnés avec le traitement anti-âge de Gwyneth Paltrow. Il y avait un masque nourrissant de la mer Morte qu'on pouvait laisser agir toute la nuit. Je me le suis appliqué en réfléchissant. Aucune idée claire. L'autre jour à la télé, j'ai entendu un type pas du tout vieux dire, Dieu me guide, chaque jour je lui demande conseil, même avant de venir sur ce plateau. Dieu conseille beaucoup ces temps-ci. Je me souviens d'une époque où une phrase pareille aurait provoqué l'hilarité. Aujourd'hui tout le monde trouve ça normal y compris sur les plateaux de télé intellos. J'aurais aimé que quelqu'un m'oblige ou m'éclaire. Je n'avais personne dans la salle de bain, pas même le double qui te dit ma grande. Je suis allée dans l'entrée et j'ai regardé à travers l'œilleton. Noir total. Je suis retournée dans le salon, j'ai éteint la lampe et j'ai entrouvert la fenêtre. Je me suis placée dans un angle du balcon. Le parking désert. La Laguna des Manoscrivi garée juste en bas. J'ai écouté le silence de la nuit humide, un peu de vent, un moteur. J'ai refermé la fenêtre. Aucun bruit ne parvenait d'en haut. Rien. Je me suis mise à tourner en rond dans le salon, fabriquant des esquisses de pas avec mes pantoufles en fausse fourrure. Je me suis surprise à effectuer quelques petits sautillements entre les meubles. En dépit de tout quelque chose en moi dansait. J'avais déjà connu cette irrépressible légèreté dans les moments où le malheur ne vous touche pas de plein fouet. Est-ce une ivresse de sursis ? Le sentiment de se tenir encore debout dans une embarcation cahotante, ou tout bêtement, comme pour Ginette Anicé (encore elle), d'échapper au temps vide ? Au programme de la nuit, il y avait tout à coup l'opportunité d'une sortie de route. Mon mari m'ayant abandonnée, je pouvais aussi bien réemprunter la cage d'escalier. Il n'est pas mauvais que la promesse soit déçue, c'est dans l'espace de déception que s'exerce notre gène faustien. Selon Svante Pääbo, un de mes maîtres en biologie, nous ne différons des Néandertaliens que par une infime modification sur un chromosome donné. Une mutation insolite du génome qui aurait permis l'élancement dans l'inconnu, la traversée des mers sans aucune certitude de terre à l'horizon, toute la fièvre humaine d'exploration, de créativité et de destruction. En résumé, un gène de la folie. Je suis retournée dans notre chambre. Pierre dormait profondément. J'ai attrapé un cardigan qui traînait, pris les clés dans l'entrée, et je suis délicatement ressortie. En haut, j'ai frappé en chuchotant le nom de Jean-Lino. Il m'a ouvert sans étonnement, une seringue à la main. Ça sentait la fumée. Je suis en train de lui donner ses médicaments, a-t-il dit. L'espace d'une seconde j'ai cru qu'il parlait de Lydie et qu'il débloquait. En le suivant dans la cuisine, j'ai compris qu'il s'agissait d'Eduardo. Il a du sable dans les reins. Il doit prendre six pilules par jour et un nouveau régime de croquettes qui ne lui réussit pas du tout, a dit Jean-Lino tout en s'affairant, asseyez-vous Élisabeth.

– Le pauvre chou.

– Le premier jour, j'ai mis une heure et demie pour lui faire avaler une seule pilule d'antibiotique. Le vétérinaire m'avait dit, vous lui fourrez la pilule dans la bouche et vous tenez serré ses mandibules. Tu parles. Dès que je lui lâchais la gueule il la recrachait. J'ai compris que pour avaler, un chat doit ouvrir et fermer ses mandibules, comme s'il mastiquait. Mais le plus embêtant, a dit Jean-Lino, c'est la levure.

Tout en parlant, il versait le contenu d'un bol qu'il avait auparavant mélangé avec une cuillère, dans une seringue pour nourrisson.

– Ces croquettes lui donnent la diarrhée. Le vétérinaire dit, ce ne sont pas les croquettes, mais moi je dis, ce sont les croquettes Urinary Stress. Il les bouffe en une fraction de seconde, il les adore et elles lui fichent la diarrhée. Les antibiotiques et les trucs anti-calculs, j'ai fini par trouver un système. C'est tout petit, elles ont la taille d'une lentille, mais la gélule d'Ultradiar, je dois la dissoudre dans l'eau et lui donner avec une seringue de nourrisson. Bon, où il est ce diablo ? Je vais le chercher.

Je suis restée un instant seule dans la cuisine. Sur la table était posé un prospectus avec la photo de Lydie. Lydie Gumbiner, musicothérapeute, sonothérapie, praticienne de massage aux bols tibétains. Dans la partie repliée il y avait la photo d'un gong et en dessous, cette phrase, *La voix et le rythme ont plus d'importance que les mots et le sens.* J'ai regardé le panier d'osier sur le plan de travail avec sa collerette provençale en coton, j'ai mis un nom sur tous les ingrédients du bouquet, ail, thym, oignon, origan, sauge, laurier. Coquettement disposés par une main soigneuse, me suis-je dit, en perspective d'un plat, ou juste pour théâtraliser la vie ? Jean-Lino est revenu avec Eduardo dans ses bras. Il s'est assis et a entrepris de lui donner le breuvage comme on donnerait un biberon à un nouveau-né. Je ne suis jamais à l'aise en présence de ce chat, une petite canaille sauvage, mais là il m'a semblé abattu, acceptant le traitement et la position humiliante avec fatalisme. C'est la partie pénible, a dit Jean-Lino, on doit faire très attention à ce qu'il n'avale pas de travers. Était-ce la phrase ? La position quasi pédagogique de son corps ? J'ai eu furtivement le sentiment qu'il préparait l'avenir immédiat d'Eduardo. En bref qu'il songeait à nous le confier. Ça m'a affolée. J'ai dit, qu'est-ce que vous comptez faire Jean-Lino ?

– Avant-hier, il a bu trop vite et il s'est mis à tousser, à tousser, en suffoquant.

– Vous comptez faire quoi avec Lydie ?

– Je vais appeler la police…

– Oui. Bien sûr.

– Où est passé Pierre ?

– Il s'est endormi.

Le chat buvait tranquillement sa levure. La boîte de croquettes était posée sur la table. Étant donné le nom, je me suis dit qu'il devait y avoir un genre d'anxiolytique dans la composition. Jean-Lino gardait la tête penchée sur le museau de sa bête. Sa voix s'était raffermie depuis son apparition chez nous. La consistance de son visage et de sa bouche aussi. J'avais connu le champion de la bouche en recherche de forme : Michel Chemama, mon prof d'anglais à Auguste Renoir, un juif oranais à jamais lié au mot *harrvesting meushiin*, prononcé avec la lippe distordue vers l'avant (des années durant, encore aujourd'hui, je me suis interrogée sur l'urgence d'enseigner « machine à moissonner » à des élèves urbains et débutants). Jean-Lino a posé la seringue sur la table. Eduardo s'est laissé glisser sur le sol et a quitté la cuisine. Nous ne disions rien. J'aimais bien Michel Chemama, toujours en pantalon de flanelle grise, blazer croisé bleu marine et boutons en métal. Peut-être qu'il existe toujours. On ne peut pas juger, enfant, de l'âge d'un professeur, ils paraissent tous vieux. C'est gentil d'être revenue, a dit Jean-Lino. Qu'est-ce qui s'est passé, Jean-Lino ? Je n'aurais pas voulu être si directe mais rien ne me venait. Le langage ne traduit que l'empêchement de s'exprimer.

On le ressent plus ou moins en temps normal et on s'en arrange. Jean-Lino a secoué la tête. Il s'est penché pour attraper une mandarine sur le comptoir. Il m'en a proposé une. J'ai refusé. Il s'est mis à décortiquer la sienne. J'ai dit, vous aviez l'air heureux à la maison.

– Non.

– Non ?…

– Si… Moi j'étais heureux.

– Ne vous sentez pas obligé.

Il a posé la mandarine sur une des pelures, en a extrait un quartier dont il a enlevé les fils de pellicule blanche.

– Je ne ressens plus rien. Est-ce que je suis un monstre Élisabeth ?

– Vous êtes anesthésié.

– J'ai pleuré sur le moment. Mais je ne sais pas si c'était de chagrin.

– Pas encore.

– Ah oui… Oui, c'est ça. Pas encore.

Il prenait, l'un après l'autre, les quartiers de mandarine qu'il nettoyait sans les manger. Je mourais d'envie de lui demander, que comptez-vous faire d'Eduardo, mais je craignais de le mettre instantanément à l'aise par ma question. J'avais aussi envie de le questionner sur les nouvelles lunettes. On ne passe pas innocemment du rectangulaire foncé au semi-rond sable. Les montures épaisses renvoyaient toujours à son visage d'enfant. Parmi les éléments insondables qui vous font aller vers un être et l'aimer, il y a son visage. Mais aucune description de visage n'est possible. Je regardais le long nez qui se relevait et s'épatait en son bout, la longue partie complètement à pic des narines à la bouche. Je pensais à ses dents, à vau-l'eau, aux antipodes des râteliers contemporains. Pendant qu'il triturait la peau du fruit, j'enregistrais pour toujours les trois choses que raconte, tout à la fois, le visage de Jean-Lino : bonté, souffrance, gaieté. J'ai dit, je n'avais jamais vu ces lunettes.

– Elles sont neuves.

– Elles sont bien.

– Des Roger Tin. En acétate.

On s'est souri. À coup sûr, c'était Lydie qui avait choisi les lunettes. Il ne serait jamais allé de lui-même vers cette couleur fantaisie. On a entendu un fracas en provenance de la chambre. Je me suis levée en sursaut et collée absurdement au frigo. Jean-Lino est parti voir. J'ai eu honte de ma réaction. Quand bien même Lydie se serait réveillée, ce serait une bonne nouvelle, pourquoi avoir peur ? Non, non, le réveil du mort a toujours été terrifiant, toute la littérature le dit. Je me suis mise dans l'embrasure de la cuisine et j'ai écouté. Des bruits sans gravité, la voix italienne de Jean-Lino. Je l'ai entendu fermer la porte de la chambre, le couloir a été plongé dans le noir, et il est réapparu. Eduardo avait voulu sauter du pot de chambre sur la table

de nuit mais le couvercle ayant basculé, il avait
raté l'arrivée et renversé la lampe de chevet.
Jean-Lino s'est rassis. Moi aussi. Il a sorti une
Chesterfield. Je peux ?

– Bien sûr.

– Il n'a pas de repère. Normalement il n'a pas
le droit d'être dans la chambre.

J'ai fait un truc que je n'avais pas fait depuis
trente ans. J'ai pris une clope et je l'ai allumée.
J'ai aspiré la fumée direct dans les poumons.
Ça m'a arraché le gosier et j'ai trouvé le goût
dégueulasse. Durant certaines vacances, avec
Joelle, on allait du côté de sa famille dans
l'Indre. Ils nous prêtaient une fermette vers Le
Blanc. On disait, on va chez les péquenots. Un
soir, à table, mon bras droit a eu la danse de
Saint-Guy, impossible de saisir une fourchette,
j'avais fumé deux paquets de Camel dans la
journée, j'avais treize ans. Plus tard j'ai refumé
un peu avec Denner. Jean-Lino a retiré la cigarette de ma main et l'a éteinte dans le cendrier
publicitaire. J'ai encore osé une chose que
je n'aurais jamais faite à un autre moment :
j'ai caressé sa joue grêlée. J'ai dit, ça vient de
quoi ?

– Mes cicatrices ?

– Oui…

– Des cicatrices d'acné. J'étais couvert de boutons.

Il fumait en regardant la cuisine. À quoi

pensait-il ? Moi je visualisais Lydie allongée morte dans l'autre pièce. C'était à la fois immense et rien. La maison était calme. Le frigidaire continuait à émettre son bruit. Quand on avait vidé l'appartement de notre mère, on avait retrouvé dans un tiroir tout son petit matériel de bureau. Il datait d'années, du temps où elle tenait le livre de caisse de Sani-Chauffe. Une trousse avec une règle, un Bic à quatre couleurs, des agrafes, un bloc de papier parfaitement frais, des ciseaux prêts à couper pour cent ans. Les objets sont des salauds, avait dit Jeanne. J'ai encore une fois demandé à Jean-Lino ce qui s'était passé.

Quand ils sont remontés, Lydie l'a accusé de l'avoir humiliée en société. Qu'il ait pu revenir sur l'épisode des Carreaux Bleus assorti de la caricature du poulet constituait en soi une trahison à laquelle s'ajoutait le fait d'y avoir mêlé Rémi. Il n'aurait pas dû mentionner Rémi, a dit Lydie, et certainement pas pour rapporter qu'il s'était moqué d'elle, sa grand-mère, ce qui en plus n'était pas vrai. Jean-Lino, encore dans une disposition euphorique, a répondu avec désinvolture qu'il ne pensait pas à mal, qu'il avait raconté tout ça emporté par la volonté de faire rire, comme c'est fréquent dans ce genre de soirée, d'ailleurs tout le monde avait ri de bon cœur, et il lui a rappelé comment elle-même avait fini par rire lors de leurs imitations de poulet voletant. Lydie s'est mise hors d'elle, prétendant qu'elle n'avait ri (et encore) que pour le préserver, lui, Jean-Lino, aux yeux de l'enfant, pour éviter que le petit ne réalise, étant donné son ultrasensibilité, combien cette imitation était navrante. Elle ne se serait jamais imaginé, par-dessus le marché, a-t-elle ajouté, devoir revivre publiquement ce ridicule, et elle a souligné que le numéro avait été applaudi essentiellement par un type bourré et belliqueux. Elle lui a reproché de ne pas avoir senti sa raideur, ses signaux étouffés et d'une façon générale de manquer de finesse à son endroit. Jean-Lino a voulu protester car s'il y a un homme attentionné et même aux aguets, c'est bien lui, mais Lydie, emmurée dans ses griefs, ne voulait rien entendre. Cette anecdote du poulet, racontée, hélas oui, dans le seul but de déclencher une stupide hilarité, révélait son insensibilité pour ne pas dire sa médiocrité. Elle avait toujours admis qu'il n'adopte pas son mode de vie dès lors qu'elle se sentait respectée et comprise. Ce qui visiblement n'était pas le cas. Oui, certains êtres avaient des ailes au lieu de bras ! Et par conséquent volaient et se perchaient. Enfin, a-t-elle ajouté comme visant Jean-Lino lui-même, si la lâcheté ou l'indifférence des hommes n'avaient pas rendu la chose improbable. Qu'est-ce qu'il y avait de drôle là-dedans ? Elle ne comprenait pas qu'on puisse rire à la barbe de vies misérables de la naissance à l'abattoir. Et entraîner dans ce rire un gosse de six ans pour en faire un tortionnaire de demain. Les bêtes ne veulent rien d'autre que vivre, picorer, brouter l'herbe des prés. Les hommes les jettent dans le pire confinement, des usines de mort où elles ne peuvent ni bouger, ni se retourner, ni voir le jour, a-t-elle dit. S'il avait vraiment voulu le bien de l'enfant et non se faire adopter par lui avec les bassesses accessoires, ce sont ces choses qu'il aurait fallu lui enseigner. Les bêtes n'ont pas de voix et ne peuvent rien exiger pour elles-mêmes, mais par chance, s'est-elle vantée, il se trouvait de par le monde des Mamie Lydie pour déposer plainte en leur nom : voilà ce qu'il aurait pu apprendre à Rémi au lieu de se payer sa tête. D'une façon générale, elle lui a reproché de draguer le gosse à ses dépens – Jean-Lino s'est offusqué du mot, un mot à côté de la plaque a-t-il dit, choisi pour mortifier inutilement –, de n'avoir trouvé que cette combine pour avoir un embryon de complicité avec lui. Elle lui a dit que son comportement avec le gosse était pathétique, qu'il n'était rien, strictement rien pour lui et ne serait jamais Papy Lino. Elle s'est montrée outrée qu'il puisse dire *notre* petit-fils alors qu'il n'était personne et que le gosse avait des vrais grands-pères même si l'un était mort et qu'il ne voyait pas l'autre. Que cette usurpation, en particulier devant elle, en société, était d'une grande violence, puisqu'il connaissait parfaitement sa position sur le sujet et la traitait par-dessus la jambe dans un contexte où elle ne pouvait pas le reprendre. Elle lui a fait savoir également que l'enfant le méprisait et qu'il ne s'en rendait même pas compte, parce que les enfants n'ont aucun respect pour ceux qui veulent leur plaire et font leurs quatre volontés, en particulier ce genre d'enfant, a-t-elle dit, mûri par les circonstances de la vie et doté d'une intelligence supérieure. Quand Jean-Lino a voulu lui opposer les récentes marques de tendresse de Rémi à son égard, elle n'a pas hésité à dire que tous les enfants, et Rémi pas moins qu'un autre, étaient des petites putes. Elle en a d'ailleurs profité, sous prétexte de le dédouaner, pour lui rappeler son inexpérience dans ce domaine. Elle lui a dit qu'un homme qui gâtifiait perdait tout sex-appeal pour une femme normale et qu'elle en avait déjà assez vu avec Eduardo. Qu'elle s'était accommodée malgré elle à souffrir en privé du spectacle de sa régression mais qu'elle ne s'attendait pas à le voir se dérouler en plein jour. Dans un couple, a-t-elle dit, chacun doit s'efforcer de faire honneur à l'autre. Ce qu'on donne à voir de soi rejaillit sur ce que les gens vont penser de l'autre. À quoi bon la chemise parme et les Roger Tin si c'est pour avoir des bras de nain et caqueter ? Quand je mets mes créoles corail et mes Gigi Dool rouges, quand j'annule deux rendez-vous de patients, a-t-elle dit, pour aller faire ma couleur et mes mains le matin même, c'est pour me mettre en harmonie avec ce que je crois devoir être Ta femme, c'est pour te faire honneur. C'est valable dans tous les domaines. Au lieu de ça, alors qu'on se trouve avec des gens raffinés et intellectuels, a-t-elle poursuivi, mon mari boit comme un trou, fait le poulet, raconte à qui veut l'entendre que mon petit-fils se fout de ma gueule, que le serveur se fout de ma gueule, je l'avais oublié celui-là, et qu'il se fout lui-même de ma gueule en déformant une histoire sur un sujet qui ne devrait pas prêter à rire et dont personne ne mesure la gravité. Jean-Lino a fait remarquer (ou l'a tenté) que plusieurs personnes dans la soirée lui avaient donné raison. Non, non, non, a dit Lydie, une seule, et encore, la chercheuse froide comme une tombe. Tu as vu sa tête quand j'ai dit que je chantais. Même ta chère Élisabeth, ton amie chérie n'a rien dit. Tous ces gens qui sont soi-disant dans la science ou je ne sais pas où s'en foutent. Ils n'ont aucun état d'âme, leur cerveau s'arrête à leur branche. Si ça se trouve c'est eux qui ont mis au point les antibios qu'on refile dans les porcheries industrielles. Il n'avait pas tort le dingue. Les hommes se gavent et s'en mettent plein les poches. Ils se foutent des abat-toirs abjects, ils exterminent la nature et s'en foutent. Ça ne t'intéresse pas non plus, tout ce que tu veux c'est descendre fumer ta merde de Chesterfield.

Jean-Lino ne sait pas quoi faire. La laisser à sa bile et partir fumer. Ou bien rester pour tenter un adoucissement. Elle s'était installée à son bureau, un petit secrétaire à l'ancienne dans le salon, avait chaussé ses lunettes, et lisait ses mails sur l'ordinateur portable avec la tête d'une femme qui retourne aux choses dignes d'intérêt. Il ne l'avait jamais vue faire son courrier la nuit. La pente semblait longue à remonter. Il décide de sortir fumer sa clope. Il met son blouson et s'en va. Il prend l'escalier. Arrivé à notre étage, il entend des bruits de voix. Des gens partent de chez nous et papotent sur le palier en attendant l'ascenseur. Il pense qu'il y a ma sœur et Serge dans le groupe. Il entend des rires, il entend ma voix charmante (c'est le mot qu'il emploie). Bien que la porte qui sépare le palier de l'escalier soit fermée, il remonte de quelques marches pour éviter de se faire voir. Il a perdu toute assurance. Il a honte. Une heure avant il faisait partie de cette bande joyeuse, il se sentait admis, peut-être même apprécié à certains moments. Maintenant il ne veut même plus prendre le risque de croiser quelqu'un en bas. Même quand ceux-là seront partis, d'autres peuvent suivre. Quand il entend l'ascenseur démarrer et que notre porte se referme, il remonte au cinquième. Il s'assoit sur la dernière marche, sur la moquette râpée, et allume sa cigarette. C'est la première fois qu'il fume dans l'escalier. Il n'en avait jamais eu l'idée. Il se repasse la soirée. Il sourit en repensant à tous les bons moments, il n'a pas senti de moquerie quand il faisait rire, mais peut-être est-il naïf. Ils n'ont pas l'habitude de sortir, en tout cas pas dans ce genre de société. Au départ, ils avaient eu un peu le trac mais ils s'étaient vite sentis à l'aise. Il n'est plus sûr de rien. Tout ce qu'il sait c'est qu'il était heureux et qu'il ne l'est plus. Et que quelqu'un a fait en sorte de lui retirer sa gaieté. Je le comprenais mieux que personne, il avait trouvé à qui parler. Mon père ne savait pas s'énerver sans distribuer des coups. À table, un jour où j'étais contente, j'avais piqué une pomme de terre du plat avec un couteau et j'avais porté le tout à ma bouche. J'ai reçu la raclée sur-le-champ et j'en ressens encore la brûlure aujourd'hui. Pas parce qu'il m'avait frappée, j'étais habituée, mais parce qu'il avait flingué ma gaieté. Jean-Lino a le sentiment d'une injustice. Il se voit, plié en deux sur la marche avec son blouson, dans l'horrible lumière de la cage. Lui reviennent les paroles de Lydie à propos de Rémi. Il s'était arrangé pour ne pas trop les entendre. Il avait bu, ça aidait. Mais tout avait disparu, la joie, l'euphorie. Est-ce que l'enfant le méprisait ? Jean-Lino ne croyait pas que ça puisse être un sentiment d'enfant de cet âge, mais elle avait dit aussi qu'il n'y connaissait rien. Il avait renoncé à *Papy Lino*, il espérait autre chose, de plus construit et plus profond. La dernière fois qu'il a vu Rémi, il l'a emmené au Jardin d'Acclimatation. C'était en semaine, pendant les vacances scolaires d'hiver. Dans le métro il lui avait acheté un stylo laser vendu par un type à la sauvette. Le trajet était long avec des changements. Après avoir fait des zigzags au sol et sur les murs, Rémi s'était mis à attaquer les passagers avec son rayon. Jean-Lino lui avait dit de n'attaquer que les pieds mais il remontait furtivement au visage en faisant semblant de regarder à côté. Les gens l'insultaient et Jean-Lino avait dû confisquer le jouet jusqu'à Sablons. Rémi faisait la gueule. Même arrivé au jardin, il traînait des pieds. Il s'était réveillé aux miroirs déformants, se gondolant devant les formes aberrantes que prenaient son corps et surtout celui de Jean-Lino. Jean-Lino n'était jamais venu au Jardin d'Acclimatation, il s'émerveillait plus que l'enfant. Ils avaient fait la rivière enchantée, les autos tamponneuses, les montagnes russes, il y avait peu de monde, ils pouvaient profiter de tout sans attendre, Rémi avait conduit des avions, dans les stands, ils avaient gagné un singe en peluche, un pistolet à eau, un baby-bulle, une balle rebondissante, Rémi avait mangé une crêpe au chocolat et ils avaient partagé une barbe à papa. Rémi a voulu faire une balade à dos de dromadaire. Il avait vu une photo à l'entrée du jardin. Ils ont cherché les dromadaires mais il n'y en avait pas. On leur a dit qu'ils reviendraient au printemps, comme les poneys. Rémi a de nouveau fait la gueule. Ils sont allés à l'aire de jeux. Jean-Lino s'est assis sur un banc. Rémi aussi. Jean-Lino lui a demandé s'il ne voulait pas grimper sur la toile d'araignée géante, Rémi a dit non. Il s'est renfrogné dans son anorak, laissant traîner ses nouveaux jouets autour de lui comme s'il s'en fichait. Jean-Lino a dit qu'il terminait sa cigarette et qu'ils allaient rentrer. Un gosse de l'âge de Rémi est passé devant eux, il faisait le train et traçait une ligne sur le sable devant lui avec une branche. Rémi la suivait des yeux. Le garçon est reparu et s'est arrêté. Il a dit en montrant le banc, c'est la gare de Maleficia. Rémi lui a demandé où il avait trouvé la branche, ils sont partis ensemble vers un petit groupe d'arbustes. Deux minutes après, ils repassaient à grande vitesse en se croisant devant Jean-Lino, Rémi était devenu un train. Après plusieurs circonvolutions, ils abandonnaient leur branche pour s'engouffrer dans le toboggan par l'arrivée du tuyau. Ils ressortaient en se marrant par le haut, déséquilibrant au passage les petits qui arrivaient par l'échelle. Ils faisaient toutes sortes de choses dans le jardin, ils creusaient le sable jusqu'au ciment, ils discutaient contre un poteau de cabane en bois, ils grimpaient sur la toile d'araignée géante et s'amusaient à pendre dangereusement. Rémi avait un éclat que Jean-Lino ne lui avait jamais vu. Même de loin, il pouvait ressentir la surexcitation de l'enfant, l'urgence de complicité avec le nouvel ami. Il voyait aussi son envie de se conformer, sa soumission. Jean-Lino avait froid. De temps en temps il faisait des signes à l'enfant qui ne le voyait pas. Il en avait marre d'attendre sur le banc dur. Le jour tombait. Il éprouvait aussi une chose qu'il ne pouvait s'avouer, un sentiment d'abandon. Comme il repense, seul dans l'escalier de service, à cet après-midi au Jardin d'Acclimatation, la mélancolie le reprend. Il se souvient des jouets qu'il avait lui-même ramassés et fourrés dans un sac en coton acheté dans un kiosque. Rémi n'avait pas voulu le porter et il l'avait trimballé en bandoulière jusqu'à la maison. À part le baby-bulle, les autres jouets n'avaient jamais été ressortis du sac. Dans le métro, Rémi s'était endormi contre son épaule. Et il avait mis sa main dans la sienne dans les rues du retour. Les mots de Lydie noircissent les images. Il ne sait plus quoi penser. Les mots se sont infiltrés dans son corps et le saignent de façon incontrôlable. Jean-Lino écrase sa clope sur le béton, il fait glisser le mégot sous le tapis. Il trouve que ses pieds sont riquiqui dans les mocassins habillés. Il se sent petit, de taille, de tout.

Certains jours, quand je me réveille, mon âge me saute à la gueule. Notre jeunesse est morte. Nous ne serons plus jamais jeunes. C'est ce jamais plus qui est vertigineux. Hier j'ai reproché à Pierre d'être mou, indolent, satisfait de peu, j'ai fini par dire, tu laisses la vie passer. Il a cité un collègue prof d'éco, mort d'une attaque le mois dernier, il a dit, Max bouffait la vie, projet sur projet, regarde à quoi ça lui a servi. Ça me file un peu le bourdon, c'est difficile de ne plus se projeter. Mais peut-être que l'idée même du futur est nocive. Il y a des langues qui ne possèdent même pas ce temps dans leur grammaire. *The Americans* est devenu mon livre de chevet. Depuis que je l'ai rouvert, je le feuillette un peu tous les jours. Dans une rue de Savannah, un après-midi de mille neuf cent cinquante-cinq qui est l'année de toutes les photos du livre, un couple traverse une rue. Lui est un soldat en uniforme, chemise et casquette. Il peut avoir une cinquantaine d'années, pipe au bec, décontracté à l'américaine, en dépit du corps boudiné et du bide scié à la taille par le pantalon. La femme est nettement plus petite malgré les talons et lui tient le bras à l'ancienne, dans le pli du coude. Robert Frank les a saisis de face, tous deux regardent l'objectif. Elle s'est mise sur son trente-et-un, moulée dans une jolie robe sombre, gansée aux poches et au cou, avec des escarpins vernis. Elle sourit au photographe. Elle paraît plus âgée que lui, le visage marqué par des souffrances, enfin c'est ce que je vois. On pense tout de suite qu'elle ne se balade pas tous les jours au bras d'un homme, qu'elle vit un jour de magnificence avec son sac neuf, sa mise en plis de jeune fille, son mec balaise et sa casquette d'officier. C'était un dimanche de la vie comme il y en a, où la chance s'est abattue sur vous. La première fois que j'ai vu Lydie, elle traversait le hall et sortait de l'immeuble au bras de Jean-Lino. En plein après-midi, sur son trente-et-un elle aussi, pomponnée et droite, fière d'elle-même, de la vie, de son petit homme grêlé. Ils venaient d'emménager. Peut-être n'a-t-elle jamais plus franchi la porte de l'immeuble avec ce contentement radieux. On fait tous ça un jour, homme ou femme, on se pavane au bras de quelqu'un comme si on était seul au monde à avoir décroché le gros lot. Il faudrait s'en tenir à ces fulgurances. On ne peut espérer aucune continuité dans l'existence. J'ai parlé avec Jeanne au téléphone. Son aventure prend l'eau. L'encadreur est de moins en moins empressé et de plus en plus dissolu. Quand notre mère est morte, Jeanne a voulu profiter du malheur pour introduire un espace sentimental dans la relation. Le type s'est montré passablement indifférent et l'a gavée de messages hard dans les jours qui ont suivi. Il veut l'entraîner dans des partouzes et l'offrir à d'autres hommes. Quand elle résiste, il devient agressif. Jeanne m'appelle presque tous les jours à moitié en larmes. Elle me dit, il m'a mis des images dans la tête. J'ai envie d'aller voir maintenant. Mais je ne suis pas de taille. Je suis vulnérable. Je suis seule. Je n'ai pas de rampe. Pour une glissade en enfer il faut une rampe, moi je glisse et je reste en bas.

Jean-Lino a rouvert la porte de son appartement. Il enlève son blouson et l'accroche dans l'entrée. Lydie est toujours à son bureau devant l'ordi. Jean-Lino rentre dans le salon. Elle a ses lunettes d'écaille papillon au bout du nez et ne tourne pas la tête. Il aimerait lui faire sentir qu'un changement radical s'est produit et prononcer quelques mots définitifs. Mais il est faible, son esprit est embrouillé. Rien ne lui vient. Sur la desserte en verre, à côté des alcools, il y a le baby-bulle Spider-Man du Jardin d'Acclimatation. Rémi adorait faire des bulles sur le balcon. Quand il y avait du vent, il courait pour voir si elles avaient contourné l'immeuble et passaient devant la petite chambre d'angle. Avant le dîner, en revenant du jardin, il s'était accroupi entre les plantes, au pied de la balustrade, le nez fiché entre les barreaux. C'est un professionnel, il sait faire des bulles géantes, des minuscules en grappe, des *enceintes*, des bizarroïdes. Au bout d'un moment il n'y a plus eu de liquide dans le pot. Jean-Lino l'a remplacé par un mélange de Mir vaisselle et d'eau. Il avait mis trop de savon. Les bulles étaient lourdes et brûlaient la peau. Rémi a renversé le contenu du tube sur la tête de gens qui passaient. Les gens ont pesté, Rémi s'est caché en riant. Jean-Lino a ri aussi. Lydie s'était dépêchée de fermer la fenêtre en lui demandant pourquoi il faisait une chose pareille à son âge. Rémi a dit qu'il l'avait jeté parce que le produit de Jean-Lino lui faisait mal à la peau et aux yeux. Lydie a engueulé Jean-Lino. Le petit a attendu que ça passe sans rien manifester. Jean-Lino se remémore cet air désinvolte. Il l'avait pris pour de la gêne. L'embarras des enfants devant les chamailleries adultes. Mais peut-être que c'était plus grave. De l'indifférence, du dédain ? Les mots de Lydie le minent. Sa chevelure a la même teinte que l'abat-jour. Il lui trouve un air de diseuse de bonne aventure. Elle se tient archidroite, il peut sentir son hostilité de la cambrure des reins aux omoplates. Jean-Lino se sert un verre de Fernet-Branca qu'il boit debout planté au milieu du salon. Pendant une seconde, l'idée lui vient de saisir la lampe et de l'abattre sur sa tête. Lydie s'affaire sur l'écran. Elle note des choses sur un calepin à côté. Jean-Lino s'approche pour voir. Elle est sur un site de défense des animaux de ferme, il distingue un texte sur le calvaire des dindes. Il abaisse brutalement le couvercle de l'ordi et dit, tu nous fais chier avec ta basse-cour, j'en ai marre de tout ça. Elle veut le rouvrir mais il appuie sa main dessus. Elle dit avec un ricanement de mépris, je sais que tu t'en fous.

– Oui, complètement, dit Jean-Lino, je me fous complètement du poulet, du dindon, du cochon, de tous ces gens, je me fous de la vie du poulet, je veux bien bouffer ton poulet bio parce qu'il est meilleur mais à part ça je m'en fous, je me fous qu'il ait été malheureux, qu'est-ce qu'on en sait, je me fous qu'il n'ait pas vu le jour, qu'il n'ait pas sautillé dans les arbres comme un merle ou ne se soit pas roulé dans la poussière, je ne crois pas à la conscience du poulet, le poulet est fait pour être élevé, tué et bouffé. Viens te coucher maintenant.

Elle a tenté de lutter mais il s'est mis devant elle en travers de la table. Bien qu'il ne soit ni épais ni grand il reste plus fort qu'elle. Elle finit par laisser tomber. Repoussant la chaise pour partir dans la chambre, elle dit, voilà ton vrai visage.

– Voilà mon vrai visage ! Oui, oui, voilà ! Je suis heureux que tu le découvres ! Et tu penses toi que tu m'as fait honneur quand tu as osé demander avec ta voix aigre-douce l'origine du poulet de son pain de poulet, quand tu as dit que tu ne mangeais plus de poulet sans être sûre de son origine comme si on était dans un chinois et que ça pouvait être du rat. Tu aurais pu te contenter de ne pas y toucher, non, il fallait que tu mettes le sujet sur la table, que tu rameutes pour donner en passant ta petite leçon de morale, et que tout le monde soit au fait de ton comportement vertueux.

Il la suit jusqu'à la chambre. Elle tente de l'empêcher d'entrer. Impossible. Elle s'assoit sur le lit et se met à enlever ses barrettes de cheveux. Elle le fait avec une application minutieuse, les rangeant une à une dans une trousse, l'activité excluant tout autre motif d'intérêt.

– J'en ai marre des restrictions permanentes, enchaîne Jean-Lino que cette gestuelle maniaque horripile, il y en a marre de vivre sous la terreur, si j'ai envie de bouffer du poulet tous les jours, j'en bouffe tous les jours, il y a des gens comme toi pour ne bouffer que des graines et de la salade, il y en a de plus en plus des gens comme toi, bouffez votre salade et ne faites plus chier.

– Sors de ma chambre.

– C'est la mienne aussi.

– Tu es ivre mort.

– Ce que je ne comprends pas, c'est qu'on ait le temps de s'apitoyer sur tout ça. Quitte à s'apitoyer, autant s'apitoyer sur les hommes. Le monde est horrible. Les mecs crèvent à nos portes et on s'apitoie sur les volailles. Il y a une limite à l'apitoiement. Tu ne peux pas l'exercer sur tout ou alors tu es l'abbé Pierre, d'ailleurs c'était un enculé, il s'apitoyait sur les clodos et crachait sur les juifs. Même lui, il n'avait pas le cœur assez grand.

– Tu sais ce qui nous sépare des bêtes ? s'écrie Lydie. Tu sais la distance entre nous et les bêtes ? Ça !

Elle claque du doigt.

– Et chaque jour elle diminue. Demande à tes amis scientifiques.

– On connaît tes théories.

– Ce ne sont pas les miennes !

– Fais, fais ton air de dégoût, plisse ta bouche, vas-y, toutes tes grimaces de harpie, fais-les.

– Sors de la chambre, Jean-Lino.

– Je suis chez moi dans cette chambre.

– Je veux être seule.

– Va dans l'autre.

– Dis à ce chat de sortir de la chambre.

– Non, il est chez lui aussi.

– Il n'est pas chez lui dans ma chambre !

– Accepte-le un peu, il est triste tout seul.

– Nous avons déjà eu cette discussion.

– Le pauvre. Pourquoi n'as-tu pas pitié de lui puisque tu es si sensible à la cause animale ?

– *Fuori Eduardo !*

– Pas la peine de lui crier dessus.

– Dégage connard !

Le chat regarde Lydie avec morgue et ne bouge pas du tout. Lydie déploie sa jambe et le repousse violemment. Le talon pointu de la Gigi Dool atteint Eduardo au flanc. Il pousse un cri de souffrance. Selon Jean-Lino lui-même, le gémissement les ébranle tous les deux mais il est trop tard. Au moment où Lydie s'incline vers le chat, Jean-Lino empoigne sa tignasse libérée des barrettes et lui tord la tête en arrière. Elle essaie de se retourner pour se libérer mais lui ne sait plus trop ce qu'il fait, il tient les touffes de cheveux dans ses deux mains et les agite en sens inverse. Elle est effrayée. Il la trouve laide. De sa bouche déformée ne sort aucun mot intelligible mais des sons suraigus qui l'irritent. Jean-Lino veut le silence. Il veut que la gorge ne produise plus de son. Il serre le cou. Lydie se débat. Se cabre. Il a trop bu. Il est fou. On ne sait pas. Il serre le cou en appuyant avec ses pouces, il veut qu'elle cède, qu'elle s'aplatisse, il serre jusqu'à ce que plus rien ne bouge.

Il met du temps à comprendre ce qui vient d'arriver. Il croit d'abord, étant donné la personnalité de Lydie, qu'elle fait semblant d'être morte. Elle a déjà mimé quelque syncope ou catalepsie par le passé. Il la secoue gentiment. Il dit son nom. Il lui dit d'arrêter de faire l'idiote. Il laisse passer un moment dans le silence total pour que Lydie le croie sorti de la pièce. Eduardo joue le jeu, complètement immobile comme savent le faire les fauves. Lydie persiste dans sa fixité. Ce sont ses yeux qui l'alertent. Ils sont ouverts. Il ne croit pas qu'on puisse maintenir ce regard de stupeur invariable. L'idée de la mort le traverse. Lydie est peut-être morte. Il met un doigt sous ses narines. Il ne sent rien. Ni chaleur ni souffle. Il n'a pas serré fort malgré tout. Il approche son visage. Il n'entend rien. Il pince une joue, il soulève une main. Il fait ces gestes avec terreur et timidité. Les larmes arrivent. Il s'effondre.

Il m'a dit, je me suis effondré sur son corps et j'ai pleuré. Le tic de bouche est revenu sous forme intensive. Une avancée de toute la dentition pour former un « u » avec la lèvre inférieure. La nuit était encore noire, je le voyais par la fenêtre. De chez eux, la fenêtre de la cuisine donne sur le vide du ciel. Je me suis demandé si Lydie y flottait quelque part (et nous regardait par la vitre). De temps en temps me revient cette vieille hantise que les morts nous voient. Après sa mort, la sœur de mon père était revenue endommager le lustre du séjour. On savait que c'était elle parce qu'ils s'étaient promis que le premier disparu des deux irait péter un truc chez l'autre pour attester de sa survivance dans l'au-delà. Tante Micheline avait dit en levant la tête, je me ferais bien une de ces tulipes. Le soir de son enterrement, une opaline du lustre s'était brisée sur la table sans aucune raison. C'est tante Micheline putain ! Mais elle est où ? on avait questionné avec Jeanne. Ils sont là, ils voient tout, avait dit ma mère. Après quoi, toutes mes activités illicites avaient été pourries par le regard de tante Micheline. Où que je me camoufle, elle était là. Avec une copine de collège, on s'écartait dans les fourrés pour se montrer et se toucher la chatte. Ma tante nous observait horrifiée. Aucun fourré ne me protégeait de tante Micheline. Mon père, j'ai aussi pensé qu'il devait rôder quelque part. Mais j'étais une grande personne, ça ne me gênait plus. Il s'était radouci les dernières années, il y avait quelque chose d'inachevé en lui. Il venait de mourir quand j'ai eu mon doctorat de biologie. J'étais contente qu'il voie ça. J'ai même soulevé bien haut le manuscrit pour qu'il le contemple. J'ai dit, Jean-Lino, qu'est-ce que vous vouliez faire du corps de Lydie ?

— L'emmener à son cabinet.

— Il est loin ?

— Rue Jean-Rostand. À deux minutes en voiture.

— Son cabinet de psychothérapie ?

— Oui. Elle y habitait avant qu'on s'installe ici. Silence.

— Mais une fois là-bas, comment auriez-vous fait ?

— Il y a un ascenseur.

— Vous l'auriez mise dedans ?

— Oui.

— Toute seule ?

– Le studio est au premier. J'ai le temps de monter.

– Elle se serait fait étrangler dans son cabinet ?

– Un type aurait pu la suivre dans la rue… Silence. Il campe la suite avec quelques moulinets de bras désordonnés.

– Elle serait allée à son cabinet en pleine nuit ? Après la soirée ?

– On se serait engueulés, et elle serait partie. Elle l'a déjà fait.

– Pour dormir ?

– Oui. Mais elle est revenue.

Le mot nous a oppressés. Il l'avait dit sans y penser. Ma mère sur son lit s'était subitement aplatie et ressemblait à un oiseau qu'on aurait tiré. On ne croit à aucune métamorphose pour l'oiseau. Pour les oiseaux on n'imagine pas de migration ultime. On accepte le néant. Je me suis levée, je suis allée regarder la nuit de Deuil-l'Alouette par la fenêtre. Pas grand-chose, des réverbères, des toits, l'ombre des bâtiments, des arbres à moitié nus. Un décor insignifiant, qui pourrait aussi bien être balayé en deux secondes. J'ai pensé à Pierre qui nous avait abandonnés. Je me suis retournée et j'ai dit, on le fait ?

– On fait quoi ?

– On emmène Lydie à son cabinet ?…

– Je ne veux pas vous mêler à ça…

– On la descend, je vous aide à la mettre dans la voiture et je disparais.

– Non…

– On n'a pas le temps de discuter. C'est tout de suite ou jamais.

– Vous prenez l'ascenseur c'est tout.

– Vous ne pourrez pas la mettre tout seul dans la voiture. Vous avez la valise ?

Il s'est levé, je l'ai suivi dans la petite chambre où Rémi devait dormir et qui avait été celle d'Emmanuel chez nous. Il a allumé un plafonnier qui diffusait une lumière bleutée. Le lit était couvert de jouets de toutes sortes. Jean-Lino a sorti d'un placard une valise rigide, imitation Samsonite. J'ai dit, vous n'en avez pas une plus large ?

– Non.

– Elle ne va jamais rentrer dedans.

– Elle contient beaucoup.

– Ouvrez-la.

Il a couché la valise sur le sol et l'a ouverte. J'ai mis mes pieds dedans, j'ai tenté de m'asseoir, mais je ne pouvais même pas esquisser un quelconque repliement.

– Vous êtes beaucoup plus grande.

– C'est la seule que vous avez ?

– À mon avis, Lydie rentre.

– Mais non !…

J'ai pris la valise et nous sommes allés dans leur chambre. Lydie était la même, étendue avec son fichu. On a réouvert la valise, en un coup d'œil on pouvait voir qu'elle ne rentrait pas dedans. J'ai pensé à notre grosse rouge en toile qui est à la cave. J'en ai une qui pourrait peut-être convenir, j'ai dit.

Jean-Lino secouait la tête avec un air hagard. Il m'agaçait un peu. Aucune initiative.

– Je vais la chercher ?

– Je ne peux pas accepter ça.

– Le problème est qu'elle est à la cave, et la clé est dans l'appart.

– Non Élisabeth, tant pis.

– Je tente. Si Pierre dort, c'est bon.

Je suis redescendue chez moi par l'escalier. J'ai ouvert la porte doucement. Sans rien allumer, je suis allée voir si Pierre dormait toujours. Il dormait en ronflotant. J'ai refermé la porte de la chambre. Dans le vestibule, j'ai ouvert le tiroir dans lequel sont les clés. J'ai fouillé. Les clés de la cave n'y étaient pas. J'ai réfléchi sans m'affoler. Je me suis souvenue y être allée dans la journée pour récupérer le tabouret. Je portais un cardigan avec des poches. Le cardigan était dans la chambre. J'y suis retournée, j'ai chopé le cardigan qui traînait sur une chaise en faisant gaffe à ne pas faire tomber les clés. J'ai dévalé l'escalier. Notre cave est au fond d'un couloir. Le sol pour y parvenir est vaguement terreux. Ça m'a embêtée de marcher dessus avec mes pantoufles en fourrure, j'ai fait le chemin sur la pointe des pieds. J'ai vidé la valoche qui en contenait une autre et des sacs. En repartant dans le couloir, la minuterie s'est éteinte. Je ne l'ai pas rallumée. J'ai remonté sans rien y voir l'escalier abrupt. J'ai entrouvert la porte du hall. Désert et sans lumière. L'ascenseur était là et je l'ai pris pour remonter chez Jean-Lino. La porte de l'appartement était ouverte. Le tout à une vitesse de pro. J'étais assez fière de mon sang-froid.

La valise rouge était ouverte au pied du lit de Lydie. Jean-Lino avait rangé l'autre. La rouge était plus large, plus souple. Le projet semblait possible. Sur la table de nuit se consumait une bougie décorative qu'il avait dû allumer pendant que j'étais en bas. On était là debout tous les deux sans rien dire. Jean-Lino avait de nouveau ses bras ballants et le cou en avant. Qu'est-ce qu'on attendait ?! Après un moment, il a dit, vous êtes catholique Élisabeth ?
– Je ne suis rien.
Il a ouvert sa main. Il tenait une chaînette avec une médaille de Vierge dorée.
– Je voudrais la lui mettre.
– Allez-y.
– Je ne peux pas ouvrir le fermoir.
– Donnez.
Des anneaux de la chaîne s'étaient entortillés autour de la languette.
– Ça va prendre des heures, j'ai dit.
Il m'a arraché le pendentif des mains et s'est mis à s'acharner dessus avec ses doigts inadaptés.

– On n'a pas le temps de faire ça.

Il n'écoutait plus. Il s'excitait sur la chaîne, les mains à deux millimètres de ses lunettes dans une position crustacéesque, la bouche haineuse.

– Mais qu'est-ce que vous faites, Jean-Lino !

Il semblait hors de lui. J'essayais d'entrouvrir ses paumes, j'ai fini par le taper.

– Je voudrais faire quelque chose !

– Qu'est-ce que vous voulez faire ?

– Un rituel...

– Qu'est-ce que vous voulez faire comme rituel ?... Vous avez allumé une bougie, c'est très bien.

– J'ai dit le début du *chema*.

– C'est quoi ?

– La prière juive.

– Voilà.

– Mais Lydie est catholique.

– Première nouvelle.

– Elle avait aussi d'autres croyances, mais elle tenait à rester catholique.

– Faites le signe de croix !

– Je ne sais pas le faire.

– Alors mettons-la dans la valise Jean-Lino !

– Oui. Je débloque.

Je me suis placée du côté des pieds. Jean-Lino a passé ses bras sous les épaules de Lydie. Il a dit, il faut la mettre en chien de fusil et la faire glisser ensuite. J'ai apprécié qu'il redevienne technique séance tenante. Je n'avais jamais manipulé un corps mort. Touché, embrassé, oui. Manipulé non. Elle n'avait pas de collants, le contact de la peau m'a saisie par sa tiédeur. On l'a mise sans problème sur le flanc. Elle a roulé à moitié sur le ventre de façon totalement longiligne comme si elle se jouait de nous. Avant de la verser dans la valise, il fallait la faire se recroqueviller. J'ai senti que Jean-Lino voulait s'occuper lui-même de l'opération. Il a contourné la valise, il a soulevé les cuisses à travers la jupe et les a ramenées vers l'avant de façon que les genoux plient. Ensuite il a saisi la taille afin qu'elle plie aussi. Il a fini en arrondissant le haut du corps. Le tout avec rapidité et délicatesse. Lydie se laissait faire gentiment avec son fichu et son visage paisible de campagnarde. Pour finir on aurait dit une petite fille qui dormait sur le lit en position fœtale. J'ai senti que Jean-Lino hésitait à la faire basculer. J'ai offert mon aide, dans l'idée de la retenir pour éviter une chute brutale dans la valise. Elle y est arrivée chiffonnée et en désordre. Il a fallu la remettre convenablement et faire rentrer tout ce qui débordait. L'impression d'enfantine sérénité avait disparu. Lydie était compressée et distordue. Ses cheveux frisés surgissaient du foulard en une grappe étrange sur le revêtement rouge. On avait dû lui ôter ses chaussures et les coincer dans des interstices. Je voyais que Jean-Lino souffrait. J'ai pris sur moi d'actionner la fermeture éclair. Mais pour boucler la valise, il fallait appuyer et s'asseoir dessus. Je me suis assise. J'ai senti s'affaisser sous mes fesses la consistance molle du corps. J'ai dit, aidez-moi. Il a récupéré l'autre languette et a tiré.

– C'est affreux.

– Elle est morte Jean-Lino, elle ne sent rien.

Ça ne fermait pas. Il restait une béance sur un côté. Jean-Lino s'est assis aussi. Je me suis relevée pour me laisser tomber sur les fesses le plus lourdement possible, Jean-Lino a fait pareil, on se levait et on se laissait tomber, on gagnait des petits centimètres de fermeture éclair. Pour finir je me suis couchée de tout mon long, Jean-Lino s'est couché en sens inverse, tous les deux tournoyant sur les bosses tels des rouleaux à pâtisserie sur une pâte. Quand le curseur a avalé les dernières dents, on était exténués. Jean-Lino s'est relevé avant moi. Il a rabattu et lissé sa mèche dix fois de suite. Maintenant il faut le sac et le manteau, il a dit en remettant ses lunettes. Je l'ai suivi dans le salon. Le sac de Lydie était posé par terre, grand ouvert près du secrétaire. J'ai jeté un coup d'œil au bloc-notes près de l'ordinateur. J'ai distingué les mots *ulcères, cannibalisme* suivis de *25 000*, puis une flèche avec écrit, souligné, <u>*Vie et mort d'un oiseau*</u>. *Manipulations à la Frankenstein. Souffrance inscrite dans leurs gènes.* Le stylo était posé en travers. La lampe avec son abat-jour safran était allumée. Je n'avais jamais vu son écriture. Ces mots, écrits pour mémoire, finement penchés, m'ont fait sentir l'existence de Lydie plus que n'importe quel instant de sa présence physique. Le geste de noter, les mots eux-mêmes et l'inconnu de leur destination. Et plus mystérieusement le mot *oiseau*. Le mot oiseau appliqué à la volaille. Jean-Lino accroupi vérifiait l'intérieur du sac à main. Il a pris le portable qui était sur la table et l'a mis dedans. Eduardo s'était approché et regardait aussi. Une angoisse terrible m'a prise. Je ne comprenais plus du tout ce qu'on faisait. Je me suis revue quelques heures avant au même endroit, une chaise à la main, signant la pétition contre le broyage des poussins. Lydie Gumbiner ouvrait des tiroirs pour trouver des choses à me donner. La brièveté du passage de la vie à la mort m'est apparue vertigineuse. Une bagatelle. Jean-Lino a ouvert un placard, il en a sorti le manteau vert que je connaissais bien. Un modèle long, à la russe, serré à la taille et évasé en bas. Je la voyais par la fenêtre trottiner sur le parking avec ce manteau et des bottines. Chaque hiver, je voyais réapparaître le manteau redingote, ça faisait partie de l'écoulement du temps à Deuil-l'Alouette. J'avais porté un manteau jusqu'aux pieds à l'époque du long. Je ne l'avais jamais assumé complètement. Un jour, dans un esca-lator des Galeries Lafayette, le bas s'était coincé entre deux marches. Le mécanisme s'était aus-sitôt enrayé créant l'arrêt du mouvement. J'ai attendu avec mon manteau qu'on vienne me délivrer, sans jamais avoir eu l'idée de l'enlever. Jean-Lino est reparti dans la chambre. Il y a eu un cognement, puis un bruit de roulement dans le couloir. J'ai vu arriver ma valise rouge dans l'embrasure. Enflée, monstrueuse, poignée télescopique en position maximum.

Quand on demande à Étienne des nouvelles de sa vision, il répond, *tout est sous contrôle*. C'est une expression qu'il a prise de son père qui était préfet de police. Je l'ai toujours entendu dire, c'est sous contrôle, même quand rien ne va. D'ailleurs sa vision n'est pas du tout sous contrôle puisqu'il est atteint de la DMLA sèche, dite la mauvaise, celle pour qui, contrairement à l'humide, les piqûres ne servent à rien. Nous ne demandons pas souvent à Étienne des nouvelles de sa vision. Nous ne voulons pas que ça devienne un sujet. D'un autre côté, nous ne pouvons pas ne jamais nous en inquiéter. C'est une balance subtile entre réserve et intrusion. Seul chez lui le week-end dernier, Étienne a cru pouvoir régler au feeling, sans lunettes ni lampe de poche, le thermostat du chauffage. Il a tourné la rondelle dans le mauvais sens. Quand Merle est revenue, elle est entrée dans un four chauffé à blanc. Tout est sous contrôle a le mérite de clore le chapitre à peine ouvert. La phrase ne dit rien de la réalité, ni même de l'état d'âme de celui qui la prononce. C'est une sorte de garde-à-vous existentiel assez pratique. Et drôle aussi. Le corps fait ce qu'il veut, les cellules se comportent selon leur bon plaisir. Finalement qu'est-ce qui est sérieux ? Dernièrement on s'est rappelé un épisode du temps où leur fils aîné était encore au lycée. Merle et Étienne avaient reçu une convocation du proviseur sur laquelle était notifié que Paul Dienesmann s'était très mal comporté à Auschwitz. Étienne avait reçu son fils, assis, la mine grave, et avait dit – on en rit encore –, il paraît que tu t'es très mal comporté à Auschwitz ? Après plus amples informations, il ressortait que Paul avait fait le mariole dans le car qui les conduisait de Cracovie à Birkenau, créant parmi ses camarades un climat contraire à la mémoire et au recueillement. J'ai pris en grippe le mot recueillement. Le principe aussi. C'est devenu la grande mode depuis que le monde fonce vers un indescriptible chaos. Politiques et citoyens (encore un mot génialement creux) passent leur temps à se recueillir. J'aimais mieux avant, quand on apportait la tête de l'ennemi au bout d'un pic. Même la vertu n'est pas sérieuse. Ce matin, avant de partir à Pasteur, j'ai appelé la maison de retraite de la tante pour prendre de ses nouvelles. La conversation terminée, je pense, tu es vraiment quelqu'un d'attentif, tu t'inquiètes des autres. Deux secondes après, je me dis, c'est minable cette satisfaction de soi pour une action aussi élémentaire. Et aussitôt, c'est bien, tu es vigilante avec toi-même, bravo. Il y a toujours un grand féliciteur qui a le dernier mot. Quand Denner, enfant, sortait de la confession, il s'arrêtait sur le parvis de Saint-Joseph-des-Épinettes, humait l'air à pleins poumons et se disait, à présent je suis un saint. Et tout de suite après, en descendant les marches, merde, péché d'orgueil. Dans un sens ou dans l'autre, la vertu ne tient pas. Elle ne peut exister qu'à notre insu. Denner me manque. Un homme mort il y a trente ans vous manque soudain. Quelqu'un qui n'aura rien connu de ma vie, ni métier, ni mari, enfant, là où j'habite, les lieux que j'ai vus, ni ma tête dans le temps. Ni plein d'autres choses inimaginables à l'époque. Il arriverait et on se marrerait. De tout. Est-ce qu'il y a dans le ciel, quelque part, une petite étoile Denner ? Il me semble l'entrevoir de temps en temps. Joseph Denner avait quatre ans de plus que moi. Grand, musclé, anar et alcoolo. Son père était cuistot. À quatorze ans, il était plongeur à la gare de Colmar. Je le sais encore car Denner aimait le répéter. Joseph avait aimé et admiré son père, mais non sa mère, selon lui un monstre petit-bourgeois et économe. Ils habitaient dans trois chambres de bonne réunies rue Legendre, la salle de bain faisait également cuisine et ils recouvraient la baignoire d'une planche pour faire plan de travail. Je me souviens d'un minuscule salon mansardé, et derrière, séparée par une grille dorée toujours fermée, la chambre des parents, minuscule également. L'alcool s'y trouvait dans une armoire. En hauteur la grille se terminait en torsade, il y avait un espace vide. Par une reptation surnaturelle, Denner se glissait à l'horizontale pour piquer du whisky. Il avait fait deux ans de service militaire en Allemagne dans un bataillon disciplinaire. Il vivotait en jouant de la guitare dans le Pax Quartet, un groupe plus ou moins catho qui le gardait par charité. Il croyait en l'aventure, on rêvait d'alpinisme, de Machu Picchu en sifflant des Carlsberg au Pub Miquel, on n'allait jamais nulle part sauf quelques virées nocturnes en bord de mer. Il était susceptible et caractériel. On était tous plus jeunes que lui, personne n'osait le contredire. J'ai encore des livres qui lui appartenaient, Vian, Genet, Buzzati. Il les adorait. Je les ai toujours conservés à part, dans un coin, où que je sois, à côté des livres de photos, la petite collection qu'on s'était fabriquée ensemble, Frank, Kertész, Cartier-Bresson, Winogrand, Weegee, Weiss, Arbus (on les chourait à la librairie Pereire ; Denner avait trouvé dans un surplus une veste de chasse avec une grande poche arrière). Dans certaines photos de Garry Winogrand, les filles sortent dans les rues en bigoudis, avec un foulard. Ça leur donne un côté poule, je-m'en-foutiste, vraiment sexy.

Je m'étais mise à le faire à une époque. Je me suis toujours intéressée aux arrangements de cheveux. On ne peut pas penser le monde ni même les hommes en général. On ne peut se faire une idée que des choses qu'on a touchées. Tous les grands événements alimentent la pensée et l'esprit, comme le théâtre. Mais ce ne sont pas les grands événements ni les grandes idées qui font vivre, ce sont des choses plus ordinaires. Je n'ai retenu en moi, vraiment, que des choses à portée de main, que je pouvais toucher de mes mains. Tout est sous contrôle.

Jean-Lino ?... La valise s'était avancée toute seule jusqu'au vestibule. Silence. Je suis allée voir. Jean-Lino se tenait debout, dans le couloir, un peu en ombre chinoise avec la lumière de la chambre. Ça va ?

– Élisabeth.

– Vous m'effrayez.

– Si jamais il m'arrive quoi que ce soit, vous n'êtes pas remontée chez moi. Vous ne savez rien.

– D'accord.

– Et la valise est à moi.

– D'accord.

Il a enfilé son perfecto Zara et mis son chapeau des courses. Il a posé le sac et le manteau sur la valise.

– Le type aurait sûrement pris le portefeuille…

– Oui. Je m'en débarrasserai... Ah, une seconde...

Il est reparti vers la chambre et en est revenu avec une paire de gants en mouton retourné.

– Allons-y.

On est sortis de l'appartement. Jean-Lino tirait le chargement. On est restés quelques secondes sans bouger sur le palier pour être sûrs de ne rien entendre. J'ai appuyé sur le bouton de l'ascenseur. En fait il était toujours à l'étage. On a poussé la valise à l'intérieur. Jean-Lino a ouvert la porte de la cage de service. Pas un bruit. On est convenus en chuchotant que j'attendrais un peu pour descendre afin de coordonner nos arrivées dans le hall. Il a allumé la minuterie et s'est engouffré dans l'escalier. Je suis entrée dans l'ascenseur en laissant la porte entrouverte. La cabine est très étroite, il me restait peu de place. Le manteau vert est tombé par terre, je l'ai ramassé et je l'ai coincé entre les barres de la poignée. J'ai voulu faire passer la poignée entre les anses du sac à main mais ça n'a pas marché. J'ai laissé la porte se refermer et j'ai appuyé sur 0. Je regardais mes pieds, mon pantalon de pyjama à carreaux, mes chaussons en fausse fourrure. Je descendais seule quatre étages avec un cadavre. Aucune panique. Je me suis trouvée ultragonflée. Je me suis plu. Je me suis dit, tu aurais eu ta place dans l'armée des Ombres ou dans le service action de la DGSE. Te revoilà

Élisabeth. Rez-de-chaussée. Jean-Lino était déjà là. Essoufflé et concentré. Lui aussi, épatant. Il a saisi la valise. Le manteau est retombé par terre, je l'ai récupéré. Je portais le sac à main et le manteau. Les roulettes faisaient un bruit navrant sur le carrelage. La voiture était garée devant. Je la voyais, juste derrière la bordure de pierre. J'ai évalué le trajet, le contournement du buisson. J'ai appuyé sur le bouton de la porte, Jean-Lino l'a ouverte. Il a engagé la valise dans l'entrebâillement. Un moteur démarrait derrière l'immeuble. On a entendu un petit bruit venant du dehors, un bruit humide de talons sur un sol mouillé, et on a vu surgir de la droite, tête baissée pour échapper au vent, la fille du second qui rentrait de soirée. Jean-Lino a reculé, il s'est écarté pour la laisser entrer. La fille nous a dit bonsoir, on a répondu bonsoir. Elle s'est jetée dans l'ascenseur qui l'attendait.

Qu'avait pu enregistrer cette conne ? Tout. La grande bringue du quatrième tenant un manteau et un sac à main, en chaussons de fourrure et pyjama Hello Kitty, avec le type du cinquième en chapeau feutre et mains gantées tirant une énorme valise rouge. Une formation en route pour Dieu sait où à trois heures du matin. Tout. Au moment où il croise la fille, Jean-Lino veut faire comme si de rien n'était, comme si ce croisement des plus banals ne devait occasionner aucun trouble du mouvement. Après s'être écarté pour lui laisser le passage, il reconduit la valise vers la sortie. Il a déjà fait cinq mètres dehors lorsque je m'accroche à lui. Elle nous a vus !

– Qu'est-ce qu'elle a vu ?

– Nous. Avec la valise !

– On a le droit de sortir avec une valise.

Il pleuviote à nouveau. Un crachin odieux.

– Pas ce soir. Ce soir vous êtes censé être resté chez vous !

Je sens que je l'énerve. Il tente par à-coups de faire repartir la valise mais je la maintiens.

– Qui va l'interroger ?

– Les flics !

– Pourquoi ils iraient lui parler à elle ?

Je renoue le manteau aux barres de la poignée et tire la valise pour la ramener. Il la bloque.

– Parce qu'il y aura une enquête ! Ils vont interroger les voisins.

– Rentrez chez vous Élisabeth, je me débrouille.

– Elle m'a vue aussi ! Notre plan est fichu !

– Alors qu'est-ce qu'on fait ?!

Il est hagard.

– Retournons à l'intérieur déjà.

– Elle a tout fait merder cette salope ?!

Il crie. Il déraille.

– Je vais la saigner !

– Jean-Lino, rentrons…

Il lâche prise. Je saisis la poignée rétractable

et j'entraîne la valise. Le manteau glisse, la valise roule dessus, me freinant et manquant me faire trébucher. Cette merde de manteau redingote qui tombe toutes les deux minutes ! Retour dans le hall. Le manteau est dégueulassé. Tout est mouillé. Jean-Lino qui n'a plus rien dans les mains a l'air de s'être déguisé en trappeur. Il sort un paquet aplati de son blouson et allume une clope. Il dit, qu'est-ce qu'elle foutait là si tard cette salope ?

– On ne peut pas rester plantés là.

– On va lui fermer sa gueule à cette garce.

– Allons nous mettre dans l'escalier pour réfléchir.

J'ai ramené la valise vers le mur du fond et je l'ai collée dans l'angle à côté de la porte de service.

– Venez dans l'escalier Jean-Lino.

J'ai attrapé son bras par le cuir du blouson et je l'ai poussé vers l'escalier. Il s'est laissé faire sur deux ou trois pas, avec des jambes raides de robot. Je me suis assise sur les premières marches, à l'endroit même où il s'était affalé devant Rémi. Jean-Lino avalait profond la fumée avec son mouvement de bouche en fixant la valise. Après un moment il s'en est approché en titubant. Il a caressé le dessus avec son gant de mouton. De gauche à droite, plusieurs fois de suite comme un poème muet. Puis il s'est laissé glisser à genoux, en gémissant. Ses bras écartés enserraient la valise des deux côtés, sa joue était collée au tissu. Il fabriquait, à moitié dans le vide, des baisers distordus. Nous étions séparés par l'encadrement de la porte. L'image prenait toute sa dimension dans ce champ limité. Abîme et non-sens. Pourquoi n'y avait-il eu aucune main pour arrêter la fille ? Un petit coup de pouce du ciel pour décaler d'une minute sa sortie de soirée, de bagnole, une phrase en plus ? Au lieu d'abandonner dans le hall froid Jean-Lino Manoscrivi, le plus doux des hommes, et Lydie Gumbiner, petite et recroquevillée dans ses habits de fête. Ils ont du bol ceux qui pensent que la vie fait partie d'un ensemble ordonné.

J'avais froid. J'ai mis le manteau vert en couverture sur mes jambes. Jean-Lino avait lâché la valise. Il restait au sol sur ses jambes repliées, tête basse, les mains sur la nuque. J'ai attendu. Puis je suis allée le chercher. J'ai fait le geste de le relever en entourant ses épaules. J'ai ramassé le chapeau et les lunettes qui étaient tombés sur le carrelage. Nous avons pris la direction des marches, nous nous sommes assis où j'étais, c'est-à-dire deux mètres plus loin. Jean-Lino s'est aussitôt redressé pour rapatrier la valise, elle passait de justesse la porte et occupait tout l'espace en bas de l'escalier. On était tous les trois serrés, j'avais remis sur nous le manteau en protection.

Ça m'a rappelé les cabanes qu'on fait quand on est môme. On ramène tout à soi, le plafond, les murs, les objets, les corps, il faut que l'espace soit le plus rétréci possible. Le monde extérieur n'est plus visible que par une fente tandis que dehors se déchaînent la tempête et l'orage.

Il avait envie de pisser. Ça a été la première phrase qu'il a dite, il faut que je pisse.
– Allez dehors.
Il ne bougeait pas.
– J'ai trop bu. J'ai fait le con comme personne.
– Allez-y Jean-Lino, je reste là.
La minuterie s'est arrêtée. On est restés un peu dans le noir. Je l'ai rallumée. Je n'avais jamais vu le hall à cette lueur, ni dans ses détails. La grille d'aération, la plinthe sale. Un purgatoire minable. M'est revenue une entrée dans un livre de Bill Bryson, *Aucune pièce, au cours de l'histoire, n'est tombée aussi bas que le hall.* Jean-Lino y est allé, dehors, je ne sais pas où, pendant que je restais avec la valise. J'ai enfilé le manteau qui était beaucoup trop étroit, les manches m'arrivaient à mi-bras et je ne pouvais pas le boutonner. Il était à peu près de la couleur de la moquette. Je pensais à quoi faire. Remonter et remettre Lydie sur le lit comme si de rien n'était. Reprendre la valise et rentrer chez moi pendant que Jean-Lino appellerait la police. C'était inutile. La fille du

second nous avait vus ensemble. Quoi qu'il ait pu y avoir dans la valise, Jean-Lino était sorti de chez lui après avoir étranglé sa femme et j'étais mêlée au truc. Je repensais au déroulement des événements. Jean-Lino était descendu chez nous. Il nous avait informés de la catastrophe. Nous étions incrédules. Nous sommes montés Pierre et moi pour voir le corps de Lydie. Pierre m'a obligée à redescendre et à ne pas m'en mêler. Jean-Lino avait tué sa femme. Nous n'avions rien à voir là-dedans. Il devait appeler les flics et se rendre. Pierre s'était endormi. J'étais remontée. Et si je n'étais pas remontée ? Et si, au lieu de remonter, j'étais restée chez moi, pleine d'an-xiété (et de curiosité), guettant par les fenêtres et par l'œilleton le moindre mouvement ? Par l'œilleton, pourquoi ? Par crainte d'une réaction folle de Jean-Lino Manoscrivi ? Non. Non. Tout simplement parce que je ne restais pas collée à la fenêtre. Je regardais par l'œilleton, de temps à autre, au cas où j'aurais loupé quelque chose dehors. Et c'est ainsi… Et c'est ainsi que j'ai vu le bouton de l'ascenseur clignoter. J'ai ouvert la porte, j'ai entendu un bruit de cavalcade dans la cage d'escalier. J'ai appelé mon ami Jean-Lino. J'ai empoigné mes clés et je suis descendue en trombe à mon tour dans la cage. Je suis arrivée au moment où il traînait vers la sortie une grosse valise rouge… Je l'ai supplié de ne pas faire cette bêtise. La voisine du second est entrée…

Après tout, j'étais en chaussons et pyjama, pas du tout une fille qui s'apprête à sortir dans la nuit humide… Ça se tenait. Ça pouvait tenir la route. Ça pouvait aussi tenir la route pour Pierre. Non. Il connaissait la valise. Il connaissait la valoche par cœur. C'était même plus ou moins la sienne. Comment expliquer à Pierre la présence de la valise rouge ? Sans parler de la cargaison. Je l'aurais prêtée aux Manoscrivi pour un voyage prochain ? Ou pour transporter des affaires ? Oui, très bien : je l'aurais prêtée pour transporter des choses dans le cabinet de psychothérapie. Sans l'informer ? Évidemment. Je n'informe pas mon mari d'un prêt de valise. Ou mieux… Mieux : nous n'étions au courant de rien. Jean-Lino n'est jamais descendu chez nous, nous ne sommes jamais montés. J'avais fait une fête. Je descends pour jeter les poubelles, et sur qui je tombe ? Au moment où je retraverse le hall ? Sur Jean-Lino Manoscrivi ! Lequel tire la grosse valise rouge que j'avais prêtée à Lydie… Je ne m'inquiète pas du contenu de cette valise ? Non. Jean-Lino me dit qu'il doit la mettre dans le coffre de la voiture pour le lendemain. La voisine du second revient de soirée. Elle nous voit sur le point de sortir… Pas moi. Moi je ne sors pas, je suis là par coïncidence et j'accompagne mon ami à la porte du hall. C'est tout bête. Je dois juste vite briefer Pierre. Il comprendra que c'est notre intérêt.

Il est revenu. J'ai entendu la porte de l'immeuble. Je l'ai reconnu à ses pas. Il s'est rassis à côté de moi dans le réduit. Le crâne trempé car il avait laissé le chapeau. La pluie devait tomber à verse. La mèche barrait le front et rebiquait. Il a dit, c'est quoi le protocole ?

– On peut remonter...

Comment lui dire à quel point j'allais l'abandonner ?

– ... Mais ça ne sert à rien parce qu'on ne pourra jamais expliquer ce qu'on faisait tous les deux dans ce hall.

Il avait enlevé ses gants (les gants sortaient des poches latérales du perfecto comme deux oreilles frisées). Cassé en deux sur la marche, il effleurait la toile rouge du bagage, formant des courbes obscures avec son doigt. Les joues crevassées luisaient. Je croyais que c'était la pluie, mais il pleurait. Quand Jean-Lino était enfant, son père, de temps à autre après le repas du soir, prenait le livre des Psaumes et lisait un passage à voix haute. Le galon marque-page ouvrait toujours au même endroit. Il ne venait pas à l'idée de son père de le déplacer, de sorte qu'il lisait toujours le même verset, celui de l'exil. *Aux rives des fleuves de Babylone nous nous sommes assis et nous avons pleuré, nous souvenant de Sion.* Jean-Lino se rappelait le livre, sa couleur mordorée, la languette qui s'effilochait et surtout la gravure de couverture : des gens aux faciès veules, à moitié nus, avachis les uns sur les autres au bord d'une eau tiède, avec une harpe accrochée à une branche d'arbre. Il m'avait raconté n'avoir jamais fait le lien entre le verset et l'image. Lorsque son père articulait les mots, Jean-Lino entendait gronder le pluriel des fleuves, il voyait cingler et s'entrechoquer les bois morts sous un ciel de défaite. Quant à s'asseoir et pleurer, pour lui, ça voulait dire être en position d'attente, replié et seul. Il n'avait aucune instruction religieuse. Les Manoscrivi respectaient quelques fêtes avec la famille de sa mère, mais c'était surtout pour bouffer des carpes farcies. Jean-Lino ne comprenait rien aux vers que son père lisait (son père non plus selon lui) mais il aimait entendre les phrases venues du passé. Il se sentait participer à l'histoire des hommes même au fond de la cour Parmentier, et il s'assimilait aux trimballés, aux apatrides. Qu'avait réellement enregistré cette conne ? Je me suis repassé la scène. Je me suis revue près de la porte vitrée, derrière Jean-Lino, tenant le sac à main et le manteau. Tenant le sac et le manteau ! Tenant le sac à main de Lydie et le long manteau redingote vert que tout le quartier connaît... Il fallait oublier la version poubelles. Revenir au récit précédent. Oui, je portais le sac et le manteau. Je les avais arrachés des mains de Jean-Lino pour l'empêcher de commettre une folie. Jean-Lino, j'ai murmuré, nous devons appeler la police.

– Oui.

– J'ai une petite idée de ce qu'on pourrait raconter concernant ma présence…

– Oui…

J'ai détaillé l'histoire. Le prêt de la valise à Lydie, sa venue désemparée chez nous, notre visite pour constater la mort, le guet, l'œilleton, l'imploration dans le hall. Il était sans réaction, il s'en foutait. Ça m'a agacée qu'il se foute de me tirer d'affaire. Il tuait sa femme, je faisais tout pour l'aider et maintenant que c'était râpé, il se foutait de tout. Je l'ai secoué, vous m'écoutez Jean-Lino ? Il ne s'agit plus de vous maintenant, il s'agit de moi. C'est important que nous ayons la même version des faits.

– Oui, c'est important…

Il fouille dans une poche poitrine, il en sort des tickets et des boules de papier aluminium colorées. Il y a aussi un carré transparent d'autocollants de flèches qu'il jette par terre avec le reste.

– Vous pouvez répéter ce que je viens de dire ? Je dis quoi quand j'arrive dans le hall et que je vous vois avec tout le bazar ?

– Vous m'arrachez le sac et le manteau…

– Et ?…

– Et vous dites, vous êtes fou…

– Non, je ne dis pas tout de suite vous êtes

fou, je dis d'abord : qu'est-ce que vous faites ?
Qu'est-ce qu'il y a dans la valise ?!

Il regarde le sol et les vestiges de papier.

— Oui…

— Vous m'écoutez Jean-Lino ?

— Vous dites qu'est-ce qu'il y a dans la valise…

— Et ensuite je dis, vous êtes fou, ne faites pas
ça !

— Oui, oui, bien sûr Élisabeth, je vous disculpe
complètement, complètement…

Il secoue la tête, le tic de bouche est revenu à
fond. Rien qui soit de nature à me rassurer.

— Vous avez votre portable sur vous ?

— Non.

J'ouvre le fourre-tout de Lydie et j'en sors le
portable.

— On peut utiliser celui-là…

— Pour quoi faire ?

— Pour appeler la police.

Il regarde l'objet. Un Android à rabat jaune avec
un bijou de portable finissant par une plume. Je
regrette aussitôt ma brutalité. Tout s'est déréglé.
Je voudrais avoir écouté Pierre, n'avoir pas quitté
notre appartement. Jean-Lino semble complètement ailleurs. Il reste silencieux puis, d'une voix
éteinte, il dit, je ne verrai jamais le laboratoire
des moustiques.

— Un jour, si.

— Quand ?

— Quand vous reviendrez.

Il hausse les épaules. J'avais promis de l'emmener à Pasteur, lui faire visiter le musée, mais surtout l'insectarium. Jean-Lino voulait voir les endroits magiques de la connaissance. Aller là où la vie s'apprend. Chez Guli, il s'étiolait dans les travées où s'empilaient les grosses bêtes froides. Machines lavantes, hottes, cuisinières, congélateurs n'évoquaient rien. Il rêvait d'être introduit dans le monde du vivant, du dangereux. Je lui avais parlé de l'insectarium, une étuve de quelques pièces en sous-sol où vivent des centaines de larves dans des bassines blanches et autant de moustiques du monde entier dans des boîtes fermées par des nœuds de tulle. Un endroit mi-labo, mi-buanderie, avec un bric-à-brac de tous les jours et une machine à coudre pour les voilages. Je lui avais raconté qu'on nourrissait les larves avec des croquettes de chat, que les mâles adultes n'engloutissaient que des sucreries et ne piquaient pas. En revanche, avais-je expliqué, leurs femmes piquaient et se gorgeaient tous les trois jours du sang d'une pauvre souris déposée dans leur cage. Jean-Lino s'était écrié, pas un mot à Lydie ! J'avais précisé que la souris était anesthésiée, mais il ne m'écoutait pas. En réalité, Jean-Lino ne voulait pas partager le privilège de sa visite dans l'antre des culicidés.

– On aurait dû y aller avant.

– On ira.

– Vous ne serez plus à Pasteur.

– Je pourrai toujours y aller.

– On n'existera plus.

– Bon ça suffit, on ne peut pas finir la nuit ici. C'est quoi le numéro des flics ? Le 17 ?

J'avais repris en main le portable de Lydie. Je suis directement allée sur le clavier d'urgence. Eduardo ! s'est écrié Jean-Lino. Ça devait arriver. On ne pouvait pas esquiver Eduardo pendant mille ans.

– Eduardo sera pris en charge…

– Par qui ? La SPA, non, non, non, jamais de la vie ! Il est malade en plus !

– Nous le prendrons.

– Vous ne l'aimez pas !

– On en prendra soin. Et s'il n'est pas heureux chez nous, on le confiera à des gens qui l'aimeront.

– Vous ne saurez pas vous en occuper !

J'ai balancé le portable sur la valise, je me suis redressée et j'ai tenté de m'extraire du manteau.

– Qu'est-ce que vous faites ?

– Je vous abandonne.

Il s'est relevé.

– Allons le mettre chez vous.

Le rouge lui était monté aux joues et ses yeux s'étaient écarquillés derrière les montures jaunes. J'ai compris que ça ne servirait à rien d'argumenter. Alors faisons vite, j'ai dit. On a fermé la porte pour ne pas laisser la valise en vue (de qui, à trois heures du mat ?) et on est remontés à pied en enjambant les marches. Chez lui, Jean-Lino a foncé dans la petite chambre d'où il est ressorti aussitôt avec un sac de voyage en toile. On est allés dans la cuisine. Il a mis dans le sac un paquet de croquettes en précisant que ce n'étaient pas celles qui donnaient la diarrhée, selon lui le chat était pour ainsi dire sinon guéri du moins sorti d'affaire, il restait deux jours de traitement, on pouvait oublier la levure et les gélules anti-calculs mais pas le Revigor 200. Il mettait l'ordonnance avec les coordonnées du vétérinaire dans le sac. Il a sorti d'un placard un diffuseur Feliway qu'il a jeté dans le sac, pour remplacer, a-t-il dit, tandis qu'on filait au salon, les phéromones faciales, et aider le chat à se sentir en sécurité dans le nouvel environnement. Je comprenais un mot sur deux. Dans le salon il a ramassé des jouets, balles et fausse souris, il s'est mis à tournoyer sur lui-même avant de repérer une longue tige terminée par une queue en imitation léopard et des plumes. Il adore la canne à pêche, a-t-il dit en fourrant le tout dans le sac. C'est un chasseur, il faut jouer avec lui au moins trois fois par jour, a-t-il ordonné, en repartant dans la cuisine. Vous pouvez prendre la litière ? J'ai pris la bassine. Jean-Lino a saisi Eduardo qui rôdait dans ses jambes. Et tout à coup j'ai vu la table, et j'ai dit, attendez ! Il y avait ma clope dans le cendrier ! Ma longue clope à peine fumée. J'avais vu trop de *Faites entrer l'accusé* pour ne pas repérer la boulette fatidique. J'ai mis le mégot dans la poche du manteau en regardant si je n'avais pas laissé d'autres traces. Eduardo a miaulé en exhibant ses dents de félin. On est descendus par l'escalier, lui devant, moi derrière. J'ai ouvert la porte. Aucun bruit. J'ai déposé la litière dans la cuisine. J'ai fermé la porte du couloir qui mène à la chambre. Dans l'entrée, Jean-Lino a posé par terre Eduardo et le sac de voyage. Il a repéré une prise murale sur laquelle il a immédiatement branché le diffuseur Feliway. À quatre pattes lui-même, le torse comprimé dans le perfecto, il a pris dans ses mains le museau du chat et lui a chuchoté des mots en frottant son nez contre le pelage. Je l'ai pressé, terrifiée à l'idée que Pierre puisse surgir. J'ai eu un instant l'idée de changer de chaussures avant de la rejeter comme une idiotie fatale. Au moment de partir, Jean-Lino a sorti du sac un tee-shirt qui devait lui appartenir et l'a mis en tapon devant Eduardo.

On a repris les escaliers. Lui se laissait tomber sur chaque marche comme un somnambule. Il n'avait plus aucun jus. Arrivés en bas, on s'est rassis au même endroit. J'ai repris le portable de Lydie, et bien que je ne comprenne plus grand-chose à la situation, j'ai dit, Jean-Lino, il faut le faire. En plus la batterie est presque à plat.

– J'allais où avec la valise ?…

– Nulle part ! Vous n'alliez nulle part. Vous ne savez même pas pourquoi vous l'avez mise dans la valise. Vous avez eu un coup de folie.

– Un coup de folie…

J'ai composé le 17 et je lui ai tendu l'appareil. Une voix enregistrée a dit, vous êtes en relation avec Police Secours suivi d'un petit speech anxiogène. Puis ça a sonné. Ça sonnait dans le vide. Jean-Lino a raccroché.

– Ça ne répond pas.

– C'est impossible. Rappelez.

– Je dis quoi ?… J'ai tué ma femme ?

– Pas j'ai tué ma femme de but en blanc.

– Qu'est-ce qu'il faut dire ?

– Mettez un peu de forme. Dites, je vous appelle parce que je viens de faire une bêtise…

Il rappelle. À nouveau le speech. Votre conversation est enregistrée, tout abus sera sanctionné. Une vraie femme décroche aussitôt après. Police Secours, j'écoute. Jean-Lino me regarde paniqué. J'ébauche un de ces gestes censés apaiser l'interlocuteur. Complètement recroquevillé sur lui-même, la tête au niveau des genoux, Jean-Lino dit, je vous appelle parce que j'ai commis une bêtise…

– Quelle bêtise ? dit la voix.

– J'ai commis un meurtre…

– Dans quelle commune vous êtes ?

– Deuil-l'Alouette.

– Vous connaissez l'adresse où vous vous trouvez ?

Jean-Lino répond à voix basse. La fille lui fait répéter le nom de la rue. Elle demande si l'adresse correspond à son domicile. Elle paraît gentille et calme.

– Vous vous trouvez sur la voie publique ou à l'intérieur d'un bâtiment ?

Sous sa voix on perçoit des cliquetis de clavier.

– Je suis dans le hall.

– Dans le hall de votre immeuble ?

– Oui.

– Il y a un digicode ?

– Je ne me souviens plus…

– Est-ce que vous êtes seul ?

Jean-Lino se redresse. Affolement. Je lui fais signe de me mentionner.

– Non…

– Vous êtes avec qui ?

Avec mes lèvres j'articule *voi-sine*.

– Avec ma voisine.

– Une seule personne.

– Oui.

– Monsieur, qu'est-ce qui s'est passé ?…

– J'ai tué ma femme…

– Oui… ?

Il se tourne vers moi. Je ne trouve rien à souffler.

– Elle est où votre femme ? Est-ce qu'elle est avec vous actuellement ?…

Il essaye de répondre mais aucun son ne sort.

La lèvre inférieure s'est remise en mouvement en une palpitation continue. On dirait le plancher buccal d'un batracien.

– Vous vous appelez comment monsieur ?

– Jean-Lino Manoscrivi.

– Jean… Lino ?

– Oui…

– Est-ce que vous êtes armé Jean-Lino ?

– Non. Non, non.

– Votre voisine non plus ?

– Non.

– Est-ce que vous avez consommé de l'alcool ou des produits stupéfiants ?…

– Non…

Il me voit mimer le fait de boire un peu avec des amis.

– Un peu d'alcool…

– Est-ce que vous prenez un traitement en lien avec un problème psychiatrique ?…

La communication s'est coupée. Plus de batterie. Jean-Lino a regardé l'écran noir. Il a rabattu le clapet et étendu la chaînette du bijou sur le plastique jaune pour bien positionner la plume. J'ai mis mon bras autour de ses épaules. Jean-Lino a remis son chapeau. On était dans un coin de gare, en attente. Avec la longue redingote trop étroite, mes pantoufles en fausse fourrure et la valoche. Des romanos en transit. Prêts à être embarqués on ne sait où. Il a dit, elle était gentille la fille. J'ai dit, oui, elle était gentille.

Et lui, qu'est-ce qu'elle va devenir la tante sans moi ? Elle n'a que moi.

N'avoir personne. Les héros de *The Americans* donnent l'impression de n'avoir personne. C'est ce qui les constitue. Ils se tiennent en bordure de routes, de bancs, de salles, venus chercher quelque chose qu'ils ne trouveront pas. De temps en temps ils rayonnent dans une lumière précaire. Ils n'ont personne. Le témoin de Jéhovah n'a personne. Il marche dans les rues avec son cartable bourré de revues, le cartable lui donne figure d'homme et lui tient lieu de destination. Quand on grandit avec l'idée de n'avoir personne, on peut difficilement revenir en arrière. Même si quelqu'un vous prend la main et vous entoure, ça ne vous arrive pas vraiment. Les dimanches et les jours fériés, avenue Parmentier, les parents de Jean-Lino l'envoyaient dans la cour. Il traînait. Accroupi sur les pavés, il creusait des rigoles là où des herbes poussaient. Il bricolait des petites pièces jetées par l'horloger. Il n'y avait pas d'autre enfant. N'avoir personne c'est n'avoir même pas soi-même. Quelqu'un qui vous aime vous délivre un certificat d'existence (ou de consistance). Quand on se sent seul, on ne peut pas exister sans une petite fable sociale. Vers l'âge de douze ans, j'attendais que l'amour me rende mon identité perdue (celle qu'on était censé avoir avant que Zeus ne nous coupe en deux), mais, dans l'incertitude d'un tel avènement, je misais aussi sur la gloire et les honneurs. Comme j'étais calée dans les matières scientifiques, je me projetais dans l'avenir comme chercheuse : mon équipe avait découvert un traitement révolutionnaire pour soigner l'épilepsie et je recevais une médaille mondiale, genre Nobel. Jeanne était mon manager. Elle s'asseyait sur le lit gigogne avec Rosa, la poupée qui représentait Thérèse Parmentolo, une copine de lycée atteinte du haut mal, et écoutait mon discours en lançant quelques applaudissements. Ensuite, Thérèse Parmentolo (que je faisais aussi) venait exprimer sa gratitude. Parfois je me demande si tout ce que nous croyons être ne provient pas d'une série d'imitations et de projections. Même si je n'ai pas été chercheuse et me suis réfugiée dans un truc plus sécurisant, j'entends souvent que je me suis extirpée de mon milieu ou sortie de ma condition. C'est idiot. Je me suis juste sauvée de la non-consistance. Les gens appellent Police Secours pour discuter car ils n'ont personne d'autre, m'a dit textuellement un gardien de la paix. C'est la majorité des appels du 17. Ils avaient une femme qui appelait plusieurs fois par semaine. Avant de raccrocher elle disait, passez le bonjour à toute la brigade. Joseph Denner me jouait des airs mélancoliques avec sa guitare. Il faisait *Céline* d'Hugues Aufray, il faisait *Eleanor*

Rigby des Beatles qu'il chantait presque à plat avec sa voix faible, un mauvais accent, sans comprendre tous les mots, *All the lonely people… Where do they all belong…* J'étais tous ces gens sans foyer. Passez le bonjour à toute la brigade. Comme si elle était quelqu'un pour la brigade.

Jean-Lino dit encore, on aurait pu emmener Rémi aux moustiques. Il sort son paquet, il fait glisser une clope jusqu'à sa bouche. Il est petit et frêle. Le long nez pique vers le sol, les lunettes jaunes ne vont pas avec le chapeau. On pourrait en rire encore. La fumée remonte le long de la valise et nous enveloppe. Elle enveloppe la peau grêlée, elle enveloppe les pensées, le monde devient une immense matière vaporeuse. On a entendu des bruits de voix venant du dehors, des coups contre le vitrage. Je me suis levée. J'ai passé le seuil de l'escalier de service. Ils étaient là. Trois mecs derrière la porte d'entrée. Les voilà, je crois, j'ai dit, et je suis allée ouvrir. Trois hommes sont entrés, fringués plus ou moins comme Jean-Lino sans la poésie. Police. Ils se sont tout de suite adressés à Jean-Lino qui venait d'apparaître au fond. Il avait enlevé son chapeau, il le tenait dans une main, le bras replié en position de gêne. C'est vous monsieur Manoscrivi ? a dit un des officiers.
– Oui…
– C'est vous qui avez appelé Police Secours ?

– Oui…

Des flics en uniforme sont arrivés dans la foulée. Une fille et deux mecs, avec leur casquette.

– C'est vous qui avez tué votre femme ?… Elle est où votre femme ?

– Dans la valise…

Il a désigné l'escalier et une partie des flics sont allés jeter un œil sur la valise.

– Vous ne bougez pas. On va vous ramener au service. Et vous aussi madame.

Ils nous ont menottés. La fille m'a palpé l'ensemble du corps et a fouillé les poches du manteau de Lydie. Il y avait des pièces de monnaie, un mouchoir en tissu et la clope que j'avais fumée chez Jean-Lino. Mon Dieu. Mais non, pas grave, me suis-je dit, tu aurais pu la fumer en bas de l'escalier en attendant les flics. Un gardien de la paix m'a dit, venez madame, on va parler un peu. Il m'a pris le bras pour me faire sortir de l'immeuble. J'ai dit, on va où ?

– Dans le véhicule administratif.

– Je peux me changer ?

– Pas pour l'instant madame.

La fille parlait dans un talkie-walkie. J'ai entendu « On est rentrés dans le hall. Le mis en cause, il nous a confirmé avoir tué sa femme. Elle se trouverait dans une valise. Il y avait un autre individu avec lui, on a procédé à l'interpellation des deux individus. On va faire retour au service avec les deux individus interpellés. Il faudrait un OPJ sur place. » J'ai dit, on nous emmène où ?

– Au commissariat.

– On va y aller ensemble ? j'ai dit en désignant Jean-Lino.

Le flic me tirait sans répondre.

– Je suis en chaussons !

– C'est bien les chaussons. Au moins vous n'aurez pas de lacets à enlever.

Jean-Lino n'était presque plus visible au milieu des hommes.

– Je vais être avec lui là-bas ?

– Allez, allez, il faut sortir maintenant.

– Je le reverrai tout à heure ?

– J'en sais rien madame.

Il était de moins en moins patient. J'ai crié, avec une voix que je ne me connaissais pas, un déchirement aigu qui est sorti après un effort inhabituel et m'a fait mal, Jean-Lino, à tout à l'heure ! Le flic m'a retournée, il a glissé sa main sous mon bras gauche et m'a poussée dehors en appuyant sur l'épaule. J'ai cru voir un mouvement des hommes dans le fond, j'ai cru voir le visage furtif de Jean-Lino, même peut-être entendre mon prénom, mais je ne suis sûre de rien. J'ai marché, maintenue par l'homme, tête baissée sur le parking humide, le pantalon de pyjama à carreaux glissait, il était trop large mais je ne pouvais pas le remonter. La bagnole de police était juste là, garée en travers de l'allée. Il m'a fait rentrer par la porte arrière droite. Il est venu s'asseoir de l'autre côté. Il a sorti un stylo et un calepin. Il m'a demandé mes nom, adresse, date et lieu de naissance. Il notait avec application et lenteur. Sur un tiers de la page, en blanc sur fond noir, il y avait une illustration de clé avec écrit ETS BRUET, serrurier & vitrier. J'ai dit, qui va prévenir mon mari ?

– On va vous placer en garde à vue et on vous signifiera vos droits.

Je ne voyais pas trop ce que ça voulait dire. Ni même le rapport avec Pierre. Mais j'étais trop fatiguée pour essayer de comprendre.

– Vous êtes accouplés à une entreprise de serrurerie ?

– Les gars nous donnent des calepins gratos pour faire leur pub.

– Ah bon…

– Dans les faits, on travaille avec des établissements agréés. Ça n'empêche pas qu'ils nous en filent en permanence.

– Le vitrier vous sert à quoi ?

– À rien. Les entreprises ont les deux activités. Ils nous donnent aussi des stylos et des calendriers… Les calendriers sont bien faits parce qu'ils font bloc-notes aussi. C'est malin !

Il a fouillé dans une poche poitrine et en a sorti un Bic bleu blanc rouge avec un autre logo.

– Le stylo d'un concurrent… Je ne vous le

donne pas, ça ne sert à rien, parce qu'on va tout vous retirer au commissariat.

— Ils espèrent obtenir le marché public ?

— Bah, aucune idée. Ils font leur pub. Tenez, j'en ai encore un autre… L'objectif c'est de faire de la pub… Ça nous arrange nous, vu qu'on a autant de moyens que la police moldave…

J'aimais la placidité de ce garçon, son indifférence à ma situation. Un jeune homme rondelet de l'âge d'Emmanuel avec une peau imberbe et des cheveux rasés. Il avait de grands yeux clairs un peu rougis. Il m'a fait du bien. J'ai eu la tentation de laisser tomber ma tête sur son épaule. À travers la vitre, j'essayais de voir l'entrée de l'immeuble. L'angle était mauvais et le réverbère gênait. J'ai levé les yeux, vers chez nous. Il y avait encore une lumière chez les Manoscrivi. Chez nous, tout était éteint mais je ne pouvais pas voir la chambre qui donne de l'autre côté. J'ai pensé au chat planqué quelque part et je me suis demandé où ranger les verres inutiles alignés sur le coffre. Comment expliquer la démence des verres ? Après m'être calmée sur les chaises, il m'avait fallu courir dans Deuil-l'Alouette prendre le bus jusqu'au discounter, acheter cinq packs de verres ballon, dont deux de plus grande taille, spécifiés verres à vins de Bourgogne, plus deux coffrets de flûtes de champagne alors que j'avais déjà les flûtes Élégance. Les verres qui restaient en attente sur une nappette ridicule, ces verres à destination multiple comme si on fréquentait des gens tatillons sur les questions d'usage, que mon embourgeoisement obligeait à satisfaire, qui ne trouveraient aucune place dans aucun placard, sans compter tous ceux qui s'ajouteraient au sortir du lavage, m'assaillaient, se coagulaient en une image monstrueuse pour former une boule d'angoisse. C'était, me suis-je dit en scrutant le parking trouble, la démence de l'inquiétude et de l'anticipation qui attaque les vieux. Être stressé par l'hypothèse du problème. Ma mère sortait son ticket deux cents mètres avant l'arrêt du bus. Elle marchait le ticket tendu, serré dans son gant de laine. Idem pour la monnaie dans n'importe quelle queue chez les commerçants. Ça peut m'arriver de le faire. Il faut parer à toute éventualité, baliser le terrain. Quand ma mère allait passer quelques jours chez sa cousine à Achères (direct d'Asnières), la valise était déjà par terre, ouverte et tapissée de quelques affaires une semaine à l'avance. Je le fais aussi, avec un tempo à peine plus raisonnable. Deux voitures sont arrivées presque en même temps. Des hommes en sont sortis. Une sorte de grappe s'est créée autour de la porte. J'ai dit, c'est qui eux ?

– L'officier de police judiciaire et la PTS.

– La PTS ?

– La police scientifique.

La grappe s'est défaite. Deux policiers en tenue

se sont dirigés vers nous. Les autres sont entrés dans l'immeuble. Les types en jeans et blouson en sont ressortis aussitôt, ils se sont hâtés vers la voiture banalisée, j'ai entraperçu Jean-Lino, plus petit que les autres, dans son Zara et son pantalon à plis. Les portes ont claqué et la bagnole a démarré avec la lumière et le bruit.

Les grappes se font, se défont. On peut voir la vie des hommes comme ça. Nous sommes partis aussi dans la voiture de Police Secours. Je nous voyais passer dans les vitrines avec le gyrophare et la sirène hurlante. Il y a de l'irréalité à se voir transporter à toute blinde, comme à voir son propre train défiler dans un autre. Au commissariat, on m'a descendue dans un entresol. On m'a mise sur un banc en fer où étaient scellées des menottes. Je n'ai plus eu qu'une seule main accrochée. J'ai attendu un peu puis on m'a emmenée dans un bureau, on m'a dit que j'avais le droit de me taire, de voir un médecin, un avocat, de prévenir ma famille. J'ai demandé qu'on appelle Pierre. J'ai dit que je n'avais pas d'avocat et qu'ils pouvaient prendre qui ils voulaient. Une femme m'a refouillée et m'a raclé l'intérieur de la bouche. Dans le couloir elle m'a demandé si je voulais aller aux toilettes avant d'être placée dans la geôle (la geôle !). Des chiottes à la turque rudimentaires. Quelques heures avant tu découpais un cake à l'orange avec ta robe ondoyante, j'ai pensé. Je suis entrée dans la cellule délabrée avec une banquette au fond. Il y avait un matelas sur un sol en lino avec dessus une couverture en laine orange pliée. La femme m'a dit que je pourrais me reposer un peu en attendant l'avocat qui viendrait vers sept heures. Elle a refermé la porte avec un bruit extravagant de loquets et de serrures. Le mur qui donnait sur le couloir, y compris la porte, était entièrement vitré avec des barreaux. Je me suis assise sur la banquette. Est-ce que Jean-Lino était quelque part dans le coin ? Et la pauvre Lydie dans sa valise… Le fichu de travers et les cheveux fous, la jupe chiffonnée. Tous ces ornements inutiles d'une seconde à l'autre. Les Gigi Dool rouges, balancées dans la tombe. Un collègue de Pierre est mort il y a un mois. Étienne a appelé pour prévenir Pierre mais il est tombé sur moi. Il m'a dit, tu vois qui est Max Botezariu ? – De nom. – Il vient de mourir, foudroyé dans le métro. – Une belle mort, j'ai dit. – Ah bon, tu veux ça comme mort, toi ? – Oui. – Tu ne veux pas la voir venir, t'y préparer comme dans La Fontaine, *sentant la mort venir il fit venir tous les siens* ? – Non. J'ai peur de la dégradation. Il y a eu un silence au bout du fil et puis il a dit, quand même c'est mieux de mourir entouré. Ou peut-être pas au fond. J'ai mis la couverture orange sur mes genoux. Elle grattait. J'ai resserré les pans du manteau pour faire barrière.

Bien... Dans le cagibi où je vois l'avocat tout est gris. Le carrelage du sol, les murs, la table, les chaises. Tout. Les deux chaises sont fixées au sol et la table aussi. Pas d'ouverture. Une lumière hideuse. Avant j'avais eu droit à une brique de jus d'orange et un biscuit sec. Gilles Terneu, avocat. Il avait des cheveux longs poivre et sel brushés en arrière, plus un combiné moustache-barbichette bien taillé. Un homme soigné comme aurait dit ma mère, qui tablait sur sa mise en plis dès l'aube. J'ai eu un peu honte de mon Kitty et des chaussons, mais surtout du manteau qui m'arrivait à mi-bras. Il a ouvert son cartable, en a sorti un bloc-notes et un stylo. Il a dit, bien... Madame est-ce que vous savez pour quelle raison vous êtes ici ? J'avais beau être épuisée, je savais quand même pourquoi j'étais là. Je lui ai relaté les événements. Enfin je veux dire la version officielle minimale.

– Quels sont vos liens exacts avec cet homme, madame ?

– C'est un ami.

– Madame, vous savez que nous nous trouvons dans une affaire criminelle. Les investigations qui vont être menées seront très précises. Y compris dans votre vie. Ne pensez pas que vous pouvez à ce stade dissimuler des choses. Elles apparaîtront à un moment ou à un autre.

– C'est un ami.

– Un ami.

– C'est un voisin avec qui je suis devenue amie.

– Vous soupçonniez quelque chose ?

– Vous voulez dire ?…

– Quand vous avez guetté par l'œilleton.

– Quand mon mari lui a suggéré d'appeler la police, je l'avais senti hésitant…

– Vous n'aviez pas la certitude qu'il appellerait la police…

– Non… Je n'avais pas la certitude complète qu'il appellerait la police… Et quand j'ai vu l'ascenseur descendre… alors que je n'avais rien vu, ni entendu dehors, puisque je regardais aussi par la fenêtre…

– Vous étiez en tenue de nuit ?

– Oui.

– Et votre mari ? Il ne vous a pas entendue descendre ?

– Mon mari dormait.

– Il dort toujours ?

– Je ne sais pas. J'ai demandé qu'on le prévienne.

– Votre mari, il a des doutes sur la nature de votre relation avec cet homme ?

– Non. Non non.

– Nous avons peu de temps là madame, nous avons une demi-heure et vous allez, au sortir de cet entretien, être entendue par les policiers, sans doute même confrontée avec votre voisin, monsieur…

– Manoscrivi.

– Manoscrivi. Évidemment, il faut espérer que les deux versions ne se contredisent pas… Est-ce que vous pensez qu'il peut dire des choses différentes ?

– Non… Il n'y a aucune raison.

– Bien. Le conseil que donne un avocat, en règle générale, c'est d'en dire le moins possible à la police pour ne pas être enfermé ultérieurement dans ses propres déclarations. Toutefois, votre version semble plausible, il se pourrait que vous ayez intérêt à vous exprimer. C'est-à-dire à entrer dans les détails. Mais madame, j'attire votre attention sur le fait que ce que vous allez dire là, ensuite, vous sera constamment opposé comme une vérité première.

– C'est la vérité… Il y a un élément dont je ne vous ai pas parlé… Qui ne change rien mais je veux tout dire… En fait il y a deux éléments… En bas, quand j'étais en bas, dans le hall en train d'essayer de le convaincre d'appeler la police, on a croisé une voisine…

– Une femme que vous connaissez ?

– Oui, une jeune fille à qui je dis bonjour, bonsoir, c'est la fille de…

– Elle n'a pas été surprise de vous rencontrer à trois heures du matin ?

– Elle nous a dit bonsoir, elle rentrait visiblement d'une soirée…

– Les gens dans l'immeuble connaissent vos liens d'amitié ?

– Je ne peux pas le dire… Oui probablement.

– Elle a manifesté de la surprise ?

– Non, non, pas du tout.

– La situation était assez banale…

– Banale. On sentait qu'elle voulait échapper à la pluie, elle a vite pris l'ascenseur, ça a duré deux secondes. On s'est juste croisés… Et l'autre chose, avant d'appeler la police, Jean-Lino Manoscrivi a voulu mettre son chat en sécurité. Donc on est remontés, on a pris son chat et on l'a mis chez nous. Son chat est à présent chez nous.

– Vous êtes quand même très attentive à la vie de cet homme…

– Oui…

– Et vous dites que ce ne sont que des liens d'amitié.

– Oui.

– Vous ne pensez pas que vous avez pu laisser des traces d'une relation qui serait d'une autre nature que celle que vous décrivez ?

– Non.

– Vous n'avez pas échangé des mails par exemple ? Vos boîtes mails vont être vérifiées.

– Jamais de mail.

– Et lui, vous ne pensez pas qu'il éprouve des sentiments… Vous pensez que vous êtes sur la même longueur d'onde ?

– Ça je ne peux pas dire, mais il n'a jamais rien manifesté…

– Il n'y a aucun élément matériel pouvant induire qu'il s'agit d'une relation amoureuse alors que vous la déclarez comme...

– Aucun.

– Par exemple, votre mari n'a jamais été jaloux de cette relation ?

– Jamais.

– Vous n'avez aucune raison d'aider cet homme dans une démarche qui serait une démarche criminelle ?

– Mais non.

– On va vous poser la question : cet ami, vous apprenez qu'il a tué sa femme... jusqu'où seriez-vous allée s'il vous avait demandé de l'aider ?

– Il ne m'a pas demandé de l'aider.

– S'il vous l'avait demandé...

– ... L'aider comment ?

– Non madame. Là vous devez dire : je ne l'ai pas aidé, la preuve. Je l'ai encouragé à appeler la police. Qui a appelé la police ? C'est lui ou c'est vous ?

– Nous deux.

– Ça veut dire quoi vous deux ? Qui a tenu le téléphone ?

– Lui. J'ai fait le 17 et je lui ai donné le téléphone...

– Ah ! Vous avez fait le 17.

– Oui.

– Si vous n'aviez pas rencontré la voisine, est-ce que vous l'auriez fait, le 17 ?

– … Oui, bien sûr.

– Il va falloir madame que là vous n'hésitiez pas.

– Oui. Bien sûr.

– C'est important.

– Oui, oui.

– Donc. Vous saviez qu'il était en train de s'enfuir…

– Non, je ne le savais pas.

– C'est en descendant que…

– Quand j'ai vu l'ascenseur clignoter, j'ai appelé. J'ai appelé, et comme je n'ai pas eu de réponse, alors que l'ascenseur se trouvait juste en dessous et que je savais qu'on pouvait m'entendre, j'ai ouvert la porte de la cage d'escalier. J'ai entendu un dévalement. Je sais que mon voisin prend l'escalier et que personne ne le prend cet escalier. Je me suis dit que quelque chose de bizarre se passait. Je suis descendue, j'ai ouvert la porte du hall et je l'ai vu sortir la grosse valise rouge de l'ascenseur. Là, j'ai compris ce qui se passait… Parce que j'ai vu la valise énorme et boursouflée… Mais quand je suis descendue je ne savais pas à quoi m'attendre…

– Sauf quand même que vous attendiez la police qui n'arrivait pas.

– Oui… Mais ça pouvait être quelqu'un d'autre dans l'ascenseur…

– Et là vous avez tout de suite dit : arrête !

– Oui. Non, j'ai dit : qu'est-ce que vous faites ? Qu'est-ce qu'il y a dans la valise ?

– Avant même de croiser la jeune voisine, vous avez tout de suite cherché à le convaincre de ne pas fuir.

– La première chose que j'ai faite a été de lui arracher le sac, il tenait un sac et il y avait un manteau couché sur la valise, j'ai pris le sac et le manteau, j'ai dit, qu'est-ce que vous faites, vous êtes fou ! Et puis la voisine est arrivée… Ça a facilité les choses la voisine…

– Il vous a dit que sa femme était dans la valise ?…

– Non… Je ne me souviens pas… C'était implicite.

– Et vous n'avez pas eu de difficulté à le convaincre…

– Je n'ai pas eu de difficulté, heu… Non… Je n'ai pas eu de difficulté à le convaincre.

– Mais sans vous il serait parti quand même.

– Je ne peux pas le dire.

– Pour lui, la voisine, ça a été déterminant ? Si la voisine n'était pas arrivée, vous ne seriez pas parvenue à le convaincre ?

– Je ne peux pas répondre.

– Vous ne savez pas.

– Non.

– Depuis combien de temps vous le connaissez ?

– Trois ans.

– Une relation d'amitié ?

– D'amitié.

– Avec de l'intimité ?… De la confidence ?

– Non… On se vouvoie.

– Il vous a fait part de ses difficultés avec son épouse ?

– Non. Il n'en avait pas. Enfin je ne crois pas. Il ne m'en a jamais parlé.

– Quels liens avez-vous avec sa femme ?

– Des liens très cordiaux. Elle était à ma soirée. C'était très agréable.

– Vous l'aimez bien ?

– Oui…

– Comment on fait dans un couple quand on est ami avec un des deux ? Vous êtes sûre qu'il n'y avait pas de… Vous ne pensez pas qu'il pouvait y avoir une histoire de jalousie de sa part à elle, compte tenu des liens que vous aviez ?

– Il m'a un peu fait part des événements de la soirée et je n'avais rien à voir avec…

– Rien à voir ?

– Rien.

– C'est la première fois que vous invitez le couple ?

– Oui…

– Donc une relation singulière entre cet homme et vous, et qui n'est pas fondée sur la confidence.

– Non.

– Elle est fondée sur quoi cette relation ?

– Elle est fondée sur la confidence, mais sur

des choses du passé… l'enfance, nos enfances respectives, la vie en général, mais on ne parlait pas de nos relations conjugales. On s'était déjà vus tous ensemble avec mon mari. Lydie chantait dans des clubs de jazz, c'était son hobby, et Jean-Lino nous a emmenés l'écouter. On en a tous un bon souvenir.

– Donc une relation sans rien de dissimulé… Madame, je me permets d'insister, ne jouez pas avec ça. On viendrait à découvrir que les liens ne sont pas ceux que vous décrivez, ça deviendrait lourd à ce moment-là.

– Nos liens sont clairs.

– Votre mari va être interrogé. Il va confirmer la nature des rapports que vous aviez avec cet homme ?

– Certainement.

– Vous êtes affirmative, vous excluez toute expression de jalousie de la part de votre mari ? Vous savez bien qu'une relation d'amitié entre un homme et une femme peut…

– Non. Pas de jalousie.

– Pardonnez-moi de vous poser la question madame, mais vous avez déjà eu un rapport avec la justice pénale ?

– Jamais.

– Et votre mari ?

– Non plus.

– Et votre voisin ?

– Non. À ma connaissance, non.

– Vous êtes sûre ?

– Pour mon mari et moi je suis sûre.

– Et vous lui faites tout à fait confiance à cet homme ?

– Oui.

– Quelle a été votre réaction en apprenant qu'il avait tué ?… Vous avez eu peur pour lui ? Vous étiez inquiète pour lui ?

– Oui.

– Mais vous pensez que les raisons qui sont les siennes, et qu'il vous a données, peuvent prévaloir en justice… Vous avez pensé que c'était mieux pour lui de se rendre ?

– Oui. Je pense que quelque chose de fou s'est passé. Peut-être le fait de notre soirée où tout le monde avait un peu bu… Je pense que c'est un accident affreux. Un coup de folie. Il n'avait pas du tout l'intention de tuer sa femme.

– Donc il vaut mieux qu'il s'explique.

– Bien sûr.

– Est-ce que vous envisagez une seconde qu'il vous accuse d'avoir voulu l'aider à fuir ? Ou à cacher le corps de sa femme ?

– Non.

– Madame, à partir du moment où vous êtes vus ensemble, vous avez le vêtement, le sac, on peut penser que vous allez l'aider. Or c'est ça qu'il faut faire tomber. Il ne peut pas vous accuser de ça ?

– Non.

– La jeune voisine, est-ce qu'elle peut vous accuser ?

– La voisine ne pourra dire que ce qu'elle a vu. Je confirmerai. Elle nous a vus tous les deux dans le hall, lui près de la porte et moi derrière tenant le manteau et le sac.

– Vous parliez ?

– Non. On l'a entendue venir. On ne parlait pas. En fait, on était pétrifiés de la voir pour être honnête. J'étais pétrifiée parce qu'il y avait quand même un mort dans la valise.

– Ceci vous pouvez le dire.

– J'étais pétrifiée pour lui et même pour moi à vrai dire. J'avais quand même conscience d'être... d'être dans une situation dans laquelle je n'aurais pas dû me trouver. D'autant que la valise est à nous.

– La valise est à vous ?

– Oui. Je l'avais prêtée à Lydie il y a quelques jours. Elle voulait déménager des choses dans son cabinet.

– Ils n'ont pas de valise, vos voisins ?

– Elle voulait déménager du linge et des coussins qui prennent de la place. Une grosse valise en plus ça lui évitait un aller-retour.

– Et votre voisin, il était au courant de ce prêt ?

– Je n'en sais rien. Il a dû la voir chez lui.

– Bien. Je vous rappelle que ce que vous allez dire tout à l'heure à la police va être consigné et va vous lier pour l'avenir. Tout repose sur votre bonne foi et sur votre capacité à convaincre. Votre histoire tient. Elle a un poids de vérité. Mais j'attire votre attention sur le fait que les investigations vont être menées tous azimuts, on va fouiller votre domicile, on va interroger votre mari... Quel métier vous faites madame ?

– Je suis Ingénieur Brevets, à l'Institut Pasteur.

– Les gens qui étaient présents à votre soirée ont été témoins de quelque chose ? Une difficulté dans le couple ? Ils vont sûrement être entendus.

– Je ne sais pas... Moi j'ai été témoin de quelque chose mais je ne sais pas si je dois en faire mention... Je ne sais pas ce qu'il voudra dire lui...

– Faites attention madame, parce que si vous donnez le sentiment de ne pas collaborer et de ne pas dire des choses pour le protéger, vous vous engagez sur un terrain...

– Alors à un moment donné, la conversation est venue sur un sujet qui lui tenait très à cœur à elle, je vous le dis maître, même si ça peut paraître dérisoire, la conversation a tourné autour d'un poulet bio. Il s'est moqué d'elle parce qu'elle avait demandé à un serveur dans un restaurant si le poulet s'était perché, enfin s'il avait eu une vie normale, ce genre de choses... Il a voulu faire rire l'assistance avec ce thème et à la suite de ça on a senti qu'un froid s'installait entre eux.

– Vous supposez que le conflit a pris naissance là.

– C'est possible... Elle lui a reproché, une fois rentrés chez eux, de l'avoir humiliée en société. La discussion s'est envenimée, et à un moment donné, que je ne peux pas expliquer – il le fera mieux que moi –, elle a donné un coup de pied au chat... Il l'a prise, il l'a serrée...

– Vous m'expliquez qu'ils se disputent alors qu'elle défend le bien-être des animaux, et il la tue parce qu'elle donne un coup de pied au chat.

– Je crois que les animaux n'ont rien à voir là-dedans. Je veux dire, ils n'étaient pas opposés sur le fond... Quand un couple se dispute les opinions servent souvent de prétexte... Je ne crois pas qu'elle ait voulu faire du mal au chat. Lui a voulu l'agresser mais pas la tuer. Elle est peut-être morte d'une crise cardiaque. Ce n'est pas un criminel, c'est un homme très doux.

– Vous n'avez pas intérêt madame à devenir absolument son avocate.

– Je vous le dis à vous.

– D'accord, mais ce n'est pas la peine de prendre fait et cause pour lui. Vous avez un rapport de voisinage qui est devenu un rapport d'amitié. Vous allez à son secours pour qu'il ne fuie pas ses responsabilités car vous pensez que ce serait pire. Point. Vous comprenez bien que ce dont vous êtes soupçonnée c'est de complicité et de recel de cadavre.

– Je risque quoi ?

– Vous n'avez jamais été condamnée. Vous avez un travail. Tout dépend de ce qu'il va dire. Votre mari a été prévenu ?

– En principe oui.

– Qu'est-ce qu'il va raconter votre mari ?… Quand vous êtes montés, pourquoi n'avez-vous pas exigé de lui qu'il appelle la police tout de suite ?

– On l'a exigé. Enfin mon mari l'a exigé.

– Et vous êtes redescendus alors qu'il n'avait pas appelé ?

– Il a dit qu'il voulait être seul, qu'il avait besoin d'un peu de temps. Mon mari, tout à coup, a considéré qu'on n'avait rien à faire là, qu'on avait fait notre devoir et que ce n'était pas à nous d'appeler la police. Et on est redescendus.

– Au fait, pour quelle raison monsieur Manoscrivi est venu chez vous après avoir tué sa femme ?

– Je pense qu'il ne pouvait pas rester seul…

– Vos collègues de travail connaissent son existence ?

– Non.

– Lors de la soirée, votre comportement n'a pas laissé la moindre…

– Non.

– La voisine ne peut pas parler d'une attitude ambiguë ? Vous étiez loin de l'autre quand elle vous a vus ?

– Oui. Enfin à distance normale.

– … Le soupçon de la police peut consister en ceci : que c'est l'arrivée de la voisine qui vous oblige à prévenir la police, et que ce n'était pas votre intention. Comment vous faites tomber ça ?

– Qu'est-ce que j'aurais fait là en chaussons et en pyjama, sans rien… ?

– Il s'est passé combien de temps entre le moment où vous descendez et où vous prévenez la police ?

– Une demi-heure… Même pas. Le temps de le convaincre, d'aller chercher le chat et de le mettre chez nous.

– C'est quand même la présence de la voisine qui va le conduire à accepter de se rendre.

– Je ne peux pas dire le contraire.

– Vous êtes allée souvent chez lui ?

– Presque jamais. Peut-être une fois. Aujourd'hui même. Enfin hier, avec Lydie, pour chercher des chaises. Elle m'a prêté des chaises pour la soirée.

– Bien. Vous allez subir un interrogatoire. Qui ne va pas forcément être facile, il est possible qu'on joue un petit peu sur vos nerfs et que deux personnes vous interrogent en même temps parce qu'il peut y avoir un soupçon non pas de complicité dans l'acte criminel mais dans l'après. Que vous ayez tenté de dissimuler le cadavre, etc. Donc soyez attentive dans cette partie-là. Ce que vous dites tient. Je ne vois pas qu'on puisse vous garder au-delà des vingt-quatre heures. Si monsieur Manoscrivi corrobore votre version et si votre mari ne fournit pas de déclarations qui prêtent un tant soit peu à confusion, vous sortirez ce soir.

Je suis sortie en début de soirée. Pierre est venu me chercher. Il avait été entendu dans l'après-midi. J'ai rendu le manteau redingote. J'étais libre. Selon toute vraisemblance, Jean-Lino avait confirmé sa démarche solitaire. À présent il avait disparu, happé dans un trou noir. Dans la voiture Pierre faisait la gueule. Au lieu de me réconforter. Il avait l'air fatigué et triste. Il m'a dit qu'il n'aimait pas cette histoire. J'ai dit je ne vois pas comment on pourrait l'aimer. Il m'a demandé ce que j'avais fait pour de vrai.
– J'ai fait ce que j'ai raconté. Personne ne comprend que tu aies pu t'endormir, j'ai dit.
– J'avais trop bu. J'étais cuit.
– Tu n'as pas parlé de la salle de bain ?
– Tu me prends vraiment pour un con.
– J'ai eu peur que tu le fasses, pour me dédouaner…
– Tu l'as aidé ?!
– Non !

– Explique-moi la valise. Explique-la-moi bien.

– J'ai prêté la valise à Lydie pour transporter des trucs dans son cabinet.

– Quand ?

– Je ne sais pas… Il y a quelques jours.

– Lui, il voit une valise chez lui, il se dit tiens, la taille est bonne, je vais mettre ma femme dedans ?

– Je ne pouvais pas prévoir.

– Ma Delsey putain !

– Je suis désolée…

– Et bravo pour le chat. J'ai failli avoir une attaque. Il aurait pu y avoir deux morts cette nuit.

Un peu avant que la police ne l'appelle, il s'était levé pour me chercher dans l'appartement. Dans l'entrée, il avait marché sur quelque chose de mou. C'était la queue d'Eduardo qui dépassait du meuble. Celui-ci avait émis un gémissement strident. Terrifié, Pierre avait appuyé sur l'interrupteur et découvert le chat, museau aplati par terre, le reste du corps planqué sous le meuble, qui le fixait lui aussi avec des yeux épouvantés. Quand on est arrivés sur le parking, j'ai levé la tête. J'ai regardé l'immeuble. Notre étage, celui du dessus. J'ai pensé, il n'y a plus personne là-haut. Les branches du mimosa se balançaient doucement. J'ai dit, qui va s'occuper des plantes ?

– Quelles plantes ?

– Les plantes de Lydie.

– Personne. L'appartement a été placé sous scellés. Ça m'a catastrophée. Le mimosa, les crocus, les bourgeons, toute cette vie naissante que j'avais vue la veille dans les pots disparates. Et je la revoyais, elle, penchée dans son lopin de jardin, prenant le crocus d'une blancheur inouïe entre ses doigts pour me le présenter. Nous sommes sortis de la voiture. J'ai vu la Laguna encore garée au même endroit. Le hall était vide. Impersonnel comme avant. On a pris l'ascenseur. Notre appartement était impeccable. Pierre avait nettoyé la cuisine. Il avait dégagé une place pour la litière et la table était mise pour deux. Je ne m'attendais pas à cette gentillesse. C'était juste ce qu'il me manquait pour pleurer.

Je ne sais plus combien de fois on m'a interrogée par la suite. Les enquêteurs du commissariat, ceux de la brigade criminelle, l'enquêteur de personnalité (il s'était affublé d'un autre nom mais j'ai oublié ; je n'ai pas compris s'il enquêtait sur ma personnalité ou sur celle de Jean-Lino), le juge d'instruction. Sur le déroulement des faits, toujours plus ou moins les mêmes questions. Avec quelques variantes. Pourquoi avoir offert un cognac à l'auteur présumé au lieu de porter secours à sa femme ? Avions-nous touché le corps ? (Heureusement que je lui avais mis le foulard, j'ai dit aussi que j'avais touché les jambes pendant que Pierre prenait le pouls.) Le juge d'instruction, que j'aime bien, m'a demandé, en ces termes, comment ça se faisait que mon mari n'ait rien trouvé de mieux à faire que d'aller se coucher, alors qu'il venait de découvrir le corps défunt de sa voisine ? Et bien sûr la question qui est revenue, sous toutes les déclinaisons, à la suite de l'avocat, qu'auriez-vous fait si le tiers n'était pas intervenu ? Mais le terrain que n'avait pas exploré Gilles Terneu, et que tous ont voulu me faire arpenter jusqu'à la nausée, a été celui de ma vie. Qu'est-ce qu'elle racontait cette Élisabeth Jauze, née Rainguez, à Puteaux ? Ça s'appelle la grande identité paraît-il dans le langage flic. Tout ce que vous avez soigneusement enterré il faut le ranimer. Tout ce que vous avez biffé, il faut le réécrire avec des caractères propres. Enfance, parents, jeunesse, études, bons et mauvais chemins. Ils se sont penchés sur ma vie avec un zèle ridicule. C'est l'impression que j'ai. Une application ridicule pour fabriquer une fausse matière. Un petit baluchon de sociologie qu'ils mettront dans le dossier et qui ne dira rien. La justice aura fait son travail. Moi ça m'a renvoyé des images. J'ignorais qu'elles étaient restées quelque part. Le café de Dieppe, la grosse machine endormie, décorée pour la fête, qu'on réveillait dans le brouillard, je ne savais pas que je les portais encore. On ne peut pas comprendre qui sont les gens hors du paysage. Le paysage est capital. La vraie filiation c'est le paysage. Autant la chambre et la pierre que la découpe du ciel. C'est ça que Denner m'avait appris à voir dans les photos dites de rue, comment le paysage éclaire l'homme. Et comment, en retour, il fait partie de lui. Et je peux dire que c'est ça que j'ai toujours aimé chez Jean-Lino, la façon dont il portait le paysage en lui, sans se défendre de rien.

Le lendemain, je suis allée à Pasteur comme si tout était normal. J'ai déjeuné à la cantine avec Danielle. Au téléphone, on s'était juste dit qu'on avait des trucs à se raconter. On a trouvé une place près d'une fenêtre, on a posé nos plateaux, j'ai dit, on commence par qui ?

– Vas-y, toi.

– Tu ne vas pas être déçue.

Elle était tout ouïe.

– Tu te souviens du couple qui était là samedi soir, une femme avec une crinière orangée et son mari ?

– Oui, vos voisins.

– Nos voisins. Il l'a étranglée dans la nuit.

– Elle est morte ?!

– Ben oui.

N'importe qui aurait pris un air atterré. Pas ma Danielle qui s'est illuminée.

– Non ?!

Elle n'avait aucune idée de mon lien avec Jean-Lino. Je lui ai raconté la nuit (officielle, est-il besoin de le préciser). Un compte rendu très enlevé. Encouragée par sa bienfaisante frivolité, j'ai soigné tous les effets. La sonnette, le chat, la valise, le hall, les flics, la geôle... De temps en temps, Danielle disait, c'est dingue, ou une remarque du genre. Elle était emballée.

– Et qu'est-ce que vous allez faire du chat ?

– Je ne sais pas. Je n'ai aucun atome crochu avec lui.

– On peut le filer à ma mère.

– À ta mère ?...

– Elle habite un rez-de-chaussée à Sucy. Il y a un petit carré d'herbe devant, il sera très content.

– Mais elle ?

– Ça la sortira de Jean-Pierre. Elle adore les chats, elle en a déjà eu.

– Parle-lui-en...

– Je l'appelle ce soir.

– Et toi, alors ?... Pendant ce temps-là... Mathieu Crosse ?

Je n'avais pas fini de dire Mathieu Crosse, qu'une chape de cafard m'est tombée sur les épaules. C'était potin contre potin, en entamant la tarte au citron, le voisin délirant contre l'amant potentiel. Jean-Lino, pardon. Mais Danielle est fine. Au lieu de détailler sa nuit du samedi, avec cette faculté que nous avons nous les femmes d'épaissir la moindre anecdote amoureuse, de conférer un poids à n'importe quel mot ou détail insignifiant, elle s'est appliquée à en relativiser l'intérêt. Ce qui aurait dû faire notre joie et le fil d'une trame inépuisable est devenu un petit récit presque triste. Elle avait raccompagné Mathieu Crosse en voiture. S'était mise en double file devant chez lui. Il avait eu la délicatesse (étant donné, croyait-elle, sa situation d'hypo-deuil) de ne pas lui proposer de monter. Touchée par cette attention, et après quelques étreintes inconfortables sur les sièges avant, elle s'était parquée convenablement. Il avait dû avouer qu'il hébergeait chez lui son fils de seize ans pour le week-end. Le garçon était sorti mais rentrerait à tout moment. De fil en aiguille, ils s'étaient retrouvés dans l'appartement tels deux voleurs craignant d'être surpris. Vers quatre heures du matin, exfiltrée à l'arrivée du gamin, elle était rentrée chez elle, plus ou moins tourneboulée. Il te plaît ? j'ai dit.

– Je ne sais pas.

– Menteuse.

– Je l'aime bien.

Je lui ai appris qu'elle serait interrogée comme témoin ainsi que Mathieu et tous mes invités, par la brigade criminelle. Elle était loin d'être contre.

Seul Georges Verbot n'a marqué aucune surprise quand on les a prévenus. Elle appelait le coup de pioche cette femme, a-t-il dit. Claudette El Ouardi est sortie de sa réserve pour dire qu'elle avait remarqué que quelque chose ne tournait pas rond chez ce Manoscrivi. Elle l'avait remarqué dès le paillasson lorsqu'il s'était introduit par le biais d'une incompréhensible boutade. Plus tard, elle s'était sentie embarrassée devant son euphorie lorsque Gil Teyo-Diaz avait taquiné Mimi. Sa contrefaçon du poulet battant des ailes l'avait consternée, tant par la vulgarité du geste que du propos. Sans imaginer un prolongement aussi abominable, elle avait senti la folie rôder lors de cette bouffonnade. Toutes ces remarques, proférées au téléphone d'une voix égale, m'ont fait sentir à quel point j'étais plus proche d'un Jean-Lino que d'une Claudette, dont la raideur jusqu'ici attribuée à une forme d'introversion scientifique m'apparaissait subitement révéler un minable conformisme. Avant de devenir une grande gigue et de perdre sa vocation, Jeanne faisait de la danse. Avec les parents, j'étais allée la voir dans un gala de fin d'année. Elle avait effectué un petit solo à l'avant-scène que tout le monde avait applaudi. Il y avait eu un pot ensuite dans le réfectoire de la Maison des jeunes. Les parents avaient frayé avec d'autres parents qui les complimentaient. Mon père n'avait pas l'habitude. Il croyait s'en

sortir en plaisantant. Les gens souriaient aima-
blement. Je sentais bien que les blagues étaient
à côté de la plaque mais lui s'excitait sans se
rendre compte de rien. À un moment il a dit
en rigolant, les narines rouges et dilatées, qu'il
espérait bientôt pouvoir la foutre sur le trottoir
avec un chapeau. Les gens se sont détournés
et on s'est retrouvés seuls tous les quatre. Une
autre fois, mon prof de musique au lycée avait
organisé une sortie à l'Olympia pour voir Michel
Polnareff. Mon père nous y avait conduits de
Puteaux avec deux copines et leur mère. Dans la
4L de Sani-Chauffe, qui était en fait notre voiture
habituelle, il avait dit, faudra quand même m'expliquer pourquoi l'Éducation nationale vous
envoie applaudir cette tantouse ! Quand mes
copines entamaient leur adolescence et qu'il lui
arrivait d'en croiser une à la maison, il lui tâtait
le fessier ou empoignait un sein en s'exclamant,
oh mais ça pousse tout ça, tu deviens une grande
fille dis-moi Caroline ! La copine riait convulsive-
ment et moi je disais, papa écoute ! Lui se mar-
rait, quoi, je vérifie un peu la marchandise, c'est
pas méchant ! Aujourd'hui il irait droit en taule.
Il me faisait honte mon père, souvent, mais je
n'ai jamais pu passer dans l'autre camp. Aucun
personnage sur fond neutre ne m'a jamais intéressée. En dehors de Danielle, puis Emmanuel
et Bernard, nous n'avons donné aucune préci-
sion sur l'affaire. Je n'ai parlé à personne de

mon implication, ni de mon séjour chez les flics. Même pas à Jeanne, de toute façon dévorée par sa passion érotique. Catherine Mussin a été la seule à dire *la pauvre* parlant de Lydie. Les autres ont considéré l'événement comme abstraitement horrible et se sont montrés curieux des détails et du pourquoi. Il me faut avouer avoir éprouvé une certaine délectation à annoncer la chose. On n'est pas fâché d'être le porteur d'une nouvelle sensationnelle. Mais il aurait fallu s'en tenir là. Pouvoir raccrocher aussitôt et n'être entraînée dans aucun bavardage. Il n'y a pas de pureté dans la relation humaine. *La pauvre.* Je me demande si le mot convient. On ne peut soumettre que des êtres vivants aux critères de notre condition. C'est absurde de plaindre un mort. Mais on peut plaindre la destinée. Le mélange de la souffrance et d'une probable inanité. Oui. En ce sens *la pauvre* convient. Je peux dire *les pauvres* pour mon père, pour ma mère, Joseph Denner, le couple de Savannah, le témoin de Jéhovah devant le mur immense, certains disparus de mes livres en noir et blanc, les sapés comme des rois de San Michele parmi les fausses fleurs dont on devine que l'existence n'a pas toujours été rose, les innombrables obscurs d'avant, tous ceux dont les journaux charrient la mort dans le non-sens total. Me revient cette phrase de Jankélévitch à propos de son père, *À quoi rime cette promenade qu'on lui a fait faire dans le firmament du destin ?...* Doit-on dire la pauvre pour Lydie Gumbiner ? Dans son monde coloré, Lydie Gumbiner avait flotté au-dessus des vicissitudes. Je ne peux penser à elle qu'en mouvement, je la vois traverser le parking en dandinant ses vêtements comme une petite femme filante de George Grosz, ou alors tapoter le creux de sa gorge dans une turbulence de cheveux. Sur son dépliant, elle avait écrit, la voix et le rythme comptent plus que les mots et le sens. Lydie Gumbiner avait chanté, milité, fait tourner son pendule, à sa façon elle avait escamoté le néant.

La mère de Danielle a accepté de prendre Eduardo. Nous sommes convenues de le lui amener le dimanche suivant à Sucy-en-Brie. Entre-temps, j'avais réglé une chose qui me tracassait. Après observation attentive de notre façade d'immeuble, je suis montée chez le voisin du sixième, monsieur Aparicio, un retraité des PTT très peu causant. En passant devant la porte des Manoscrivi, j'ai découvert les cachets de cire et la fiche jaune où à la ligne infraction était écrit *homicide volontaire*. Monsieur Aparicio est chauve mais ses cheveux de derrière sont accrochés en un petit catogan. Une pointe de modernité qui m'a donné du courage. Je lui ai exposé mon projet qui consistait à brancher chez lui un tuyau d'arrosage terminé par un pistolet, de façon à arroser par en haut, depuis son balcon, celui des Manoscrivi. Je ne vous demande pas de le faire monsieur Aparicio, ai-je dit, je viendrai moi-même m'en occuper, si vous le permettez, deux fois par semaine, à l'heure qui vous conviendra, le matin tôt ou le soir. Au bout de plusieurs minutes, et après avoir écouté mon laïus, il m'a laissée entrer. Nous sommes allés dans le salon, il a ouvert la fenêtre. Nous nous sommes penchés par-dessus la rambarde, j'ai dit, vous voyez comme c'est joli toutes ces plantations. Même sur le mimosa la pluie n'arrive pas. Sur son balcon à lui il y avait un vélo, une table et des outils. Question verdure, deux ou trois pots vaguement terreux et une vieille fougère. On va le brancher où le tuyau ? il a dit. Dans la cuisine, j'ai répondu.

– Faudra prendre un quinze mètres.

– Oui, bien sûr ! Merci monsieur Aparicio !

Il ne m'a jamais offert un café et nos échanges sont pour ainsi dire restés cantonnés aux questions météorologiques. Je lui suis doublement reconnaissante. D'abord de n'avoir jamais ergoté sur le drame (y compris le jour où la brigade a effectué l'enquête de voisinage) et ensuite de ne pas s'être substitué à moi en tant qu'arroseur. J'ai acheté un excellent tuyau extensible avec embout universel et pistolet réglable de façon à doucher de loin. Aparicio le fixe lui-même au robinet de l'évier et le dévide avant mon arrivée. Il pourrait s'en occuper à n'importe quelle heure et se libérer de la servitude de nos rendez-vous. Il a dû sentir le fétichisme qui me lie à cette tâche et l'a toujours respecté. Depuis son délogement, Eduardo s'était emmuré dans une morosité hostile. Il errait d'un meuble à un autre, tapi dessous ou collé dans les coins d'ombre. Il acceptait quand même de manger et Pierre avait réussi à lui refiler les derniers comprimés de Revigor 200 écrasés dans du pâté de thon. En rentrant chez nous, la veille de notre équipée à Sucy, j'ai assisté à cette scène : la canne à pêche était animée depuis l'intérieur des chiottes. Dans le couloir, Eduardo suivait mollement des yeux les caprices de la queue léopard. À ma vue il a fui, tandis que Pierre, assis à poil sur la cuvette, concentré sur son échiquier magnétique et l'étude correspondante, continuait d'agiter la canne d'une main. À Deuil-l'Alouette on a un Raminagrobis qui fait chats et chiens. Pour emmener Eduardo chez la mère de Danielle, j'ai acheté une cage de transport en plastique rigide. J'ai pris la middle à trente-neuf euros pour qu'il soit plus confortable. Dans l'entrée, tout était prêt. Le sac en toile de Jean-Lino avec tous les accessoires, y compris le tee-shirt, la bassine de litière, la caisse flambant neuve, grille ouverte, n'attendant que son occupant. Dès qu'il l'a vue, Eduardo a exécré la cage de transport. Il a voulu s'enfuir mais Pierre l'a agrippé en me criant, ferme les portes ! Il l'a positionné devant l'ouverture en essayant de le maintenir. On le poussait, le chat résistait, les pattes avant rigides et surtendues, il glissait un peu sur le parquet, la cage reculait en même temps. On tentait de le convaincre en lui parlant, je crois même qu'on s'est fendus de quelques mots italianisés. Eduardo cherchait par tous les moyens à se dégager, se tortillant, mordant les bras de Pierre qui m'engueulait. Une ou deux fois il l'a lâché et on a dû tout recommencer. On a mis des jouets dans la caisse, on a mis le diffuseur Feliway, des croquettes. Le chat se foutait de tout. Après vingt minutes de lutte épuisante, Pierre a eu l'idée de mettre la caisse en position verticale, grillage vers le haut. En nage, excédé, il a attrapé Eduardo et l'a versé verticalement, la tête la première dans l'ouverture. Il y a eu un moment surnaturel quand j'ai vu que la tête et les pattes avant étaient entrées. Pierre tenait la cage, il m'a dit, aide-le, aide-le ! Je l'ai enfoncé comme j'ai pu en fermant les yeux. On a refermé la grille subitement. La cage était jonchée de croquettes écrasées, Eduardo criait, mais il était à l'intérieur.

La tante ne m'a pas reconnue. Elle était assise, à côté de son déambulateur, avec un bavoir autour du cou, dans un réfectoire annexe, sans fenêtres, seule devant une assiette de poisson et de pommes de terre écrasées. Je ne m'attendais pas à la trouver à table à dix-huit heures.

Il me faut un grand effort pour surmonter cet horaire terrifiant. Pour moi c'est une façon de se débarrasser des gens. On ne peut faire dîner à cette heure-là que des gens vulnérables qu'on voudrait fourguer au lit (à l'hosto on s'y trouve déjà). Je me suis présentée, j'ai dit que j'étais venue déjà avec Jean-Lino. Elle m'a regardée avec application. Il y a une certaine autorité glaçante dans le regard des vieux parfois. Elle s'appelait Benilde. J'avais su son nom à la réception, Benilde Poggio, mais je n'osais pas le prononcer. À l'accueil on m'a dit, ah la dame des Dolomites ! Je connais les Dolomites à travers Dino Buzzati. Denner lisait *Montagnes de verre*, des portraits d'alpinistes, des pleurs sur l'endommagement de la nature. Sur les pentes où il n'irait plus. C'était pour ainsi dire son livre de chevet. Il m'en lisait des chapitres à haute voix. Certains étaient des chefs-d'œuvre. Je me suis rappelé un texte écrit au moment de la conquête de l'Everest. *Dans le vieux château fort, en haut de la plus haute tour, il restait encore une petite salle où personne n'avait jamais pénétré. On a fini par ouvrir la porte. L'homme est entré, et il a vu. Il n'y a plus aucun mystère.* La dame des Dolomites a de longues mains épaisses et un peu calleuses. Les doigts bougent ensemble comme s'ils étaient collés. Avec sa fourchette, elle décortiquait le poisson qui était déjà décortiqué. J'ai demandé si je la dérangeais. J'ai dit, vous voulez peut-être dîner tranquillement ? Elle a fait un tapis avec les pommes de terre qu'elle a porté à sa bouche. Il m'a semblé que sa tête était moins agitée que la dernière fois. Elle mâchait en m'observant. Il lui arrivait de porter le bavoir à ses lèvres. Je me suis dit que le coiffeur avait forcé sur le mauve. Et sur la frisure. Ils devaient avoir un coiffeur dans l'hospice. Je ne comprenais plus ce que je faisais là. À quoi rime ce délire de bienfaisance qui consiste à visiter une femme inconnue qui ne sait même pas qui vous êtes ? Elle portait un long chandail avec des poches. Elle a tripatouillé dans l'une d'elles et en a sorti un petit sachet de plastique fermé d'une cordelette qu'elle m'a tendu. Dans une langue inconnue, elle m'a dit de le sentir. Ça sentait le cumin. C'est du cumin ? j'ai dit. *Si, cumino.* Elle voulait que je sente encore. J'ai dit que j'aimais beaucoup le cumin. Et aussi la coriandre. Elle a voulu que j'ouvre le sachet. Le nœud était assez serré et elle ne pouvait pas y arriver avec ses doigts ankylosés. Quand je l'ai ouvert, elle m'a fait signe de verser un peu de cumin dans le creux de sa main. Par tremblements, elle indiquait qu'il n'en fallait qu'une pincée. Elle m'a encore fait sentir les graines dans sa main et elle les a versées en riant sur le poisson. J'ai ri aussi. Elle a dit quelque chose que je n'ai pas compris complètement mais j'ai saisi au passage le prénom de Lydie. Et j'ai cru comprendre que c'était Lydie qui avait offert ce sachet. Je n'avais jamais fait le rapport entre la tante et Lydie. Quelle stupidité. C'était la femme de Jean-Lino, comment n'aurait-elle pas connu la tante ? Elle a mis devant moi, avec la cuillère, le yaourt au citron qui était préparé sur le plateau. On entendait des bruits de voix dans le corridor, des bruits de portes, d'éléments roulants. Sans qu'on puisse dire pourquoi c'étaient des sons du soir. Des sons clos qui n'allaient rebondir nulle part. Je pensais à la visite que nous avions faite avec Jean-Lino, quand elle avait parlé de ses poules qui rentraient et se mettaient partout dans sa maison. Cette fois-ci la tante ne parlait pas des poules, ni des cloches. Elle avait pris le pli d'autres habitudes loin de la vie des montagnes, à mille lieues des grandes ombres qui enflent et se recroquevillent. Elle s'était faite aux murs lisses avec leur rampe en bois, elle acceptait de voir fondre le temps n'importe où.

Buzzati voyait dans l'immobilité des montagnes leur attribut suprême. *La raison, selon moi, c'est que l'homme tend à un état de tranquillité absolue,* écrit-il. Étienne Dienesmann avait marché avec ses enfants sur les sentiers empruntés autrefois avec son père. Ils pique-niquaient au pied des mêmes parois. Ils levaient leurs yeux sur la même succession de crêtes. Le père disparu, tout restait en place dans une froideur limpide. Chaque été, au milieu des rires, il sentait son inimportance. Il avait fini par la ressentir sans amertume.

Cher Jean-Lino, avant de vous faire partager mes élucubrations sur le destin des objets, vous devez savoir qu'à Sucy-en-Brie chez la mère de Danielle (vous l'avez rencontrée, la documentaliste qui revenait de l'enterrement de son beau-père), Eduardo serait devenu sympathique. C'est le mot qui a été employé. Est-ce que les bêtes changent de nature ? J'opterais plutôt pour l'ajustement secourable de deux êtres en deuil. Je sais que vous vous en êtes inquiété et qu'on vous a tenu au courant de son transfert. Aux dernières nouvelles, il passe ses journées sur le rebord d'une fenêtre de rez-de-chaussée, comme les vieillards dans les villages du Sud qui observent la vie se dérouler du pas de leur porte. Lui surplombe un lopin terreux où de vrais oiseaux et de vraies souris folâtrent en toute sécurité, car contrairement aux craintes de sa nouvelle maîtresse il ne quitte jamais sa margelle. À défaut d'en être fier, soyez en tout cas tranquille à son sujet. Ma mère est morte le mois dernier. J'ai trouvé chez elle, dans une boîte, le casse-noix que j'avais fabriqué quand j'étais en cinquième. Pendant une année expérimentale, les filles avaient eu accès aux ateliers fer et bois du lycée de garçons. Aucune n'avait choisi fer, mais avec quelques autres on s'était précipitées au bois pour échapper à couture.

Le prof était un Chinois avec une perruque, un cinglé. On finissait un quart d'heure avant l'heure pour avoir le temps de ranger au cordeau les instruments. Si la varlope dépassait du casier de quelques millimètres, il hurlait et filait des taloches aux mecs. L'année presque entière avait consisté en la confection d'un casse-noix. Les garçons faisaient un modèle à double plateau, un genre de presse, les filles un modèle champignon. Le mien était bicolore avec un chapeau qui ressemblait à un gland, peint en marron foncé. Avant de l'offrir à mon père, j'avais ajouté des noix dans l'emballage. Au départ, en voyant l'objet, il s'était exclamé, c'est une bite ton truc ! Et puis il a été épaté quand il a vu que ça fonctionnait. Mon père aimait les outils et respectait l'ouvrier. Il montrait le casse-noix à tout le monde, c'est-à-dire à sa sœur Micheline et consorts, plus un ou deux collègues qui venaient boire un coup à la maison de temps en temps. Il voulait savoir comment j'avais fait le filetage de la vis, si j'avais utilisé un taraud. Il disait, passez-moi la bite d'Élisabeth et il faisait la démonstration avec tout ce qui avait une coque. Il disait, bonne rotation, brisure en douceur, cerneau impeccable. Ça ne me gênait pas qu'il dise la bite, ça me faisait rigoler même. Ça avait duré un petit moment jusqu'à ce qu'on oublie le casse-noix. Il a dû rester encore un peu dans la cuisine sur une assiette à fruits et puis il a disparu. Je n'aurais jamais pensé qu'il subsistait quelque part. Je n'en avais même plus le souvenir. À présent il est aligné devant moi, à côté d'un poivrier récent. Il paraît étonnamment à son aise. Pourquoi certains objets périclitent et d'autres pas ? Quand on a vidé l'appartement de ma mère, si ma sœur avait ouvert la boîte à chaussures, elle l'aurait balancé sans hésiter avec les autres vieilleries. Lydie croyait à la destinée des choses. Serait-ce si impossible après tout que le quartz rose de son pendule se soit présenté à elle ? (Je dois vous dire en passant que je ne suis pas loin de demander dans les restaurants, et aussi chez le boucher – où je vais de moins en moins –, si les poulets ont voleté, les cochons pataugé, etc., de même que je ne supporterai plus jamais de voir une bête en situation d'attraction depuis que je reçois les bulletins de son association.) Jean-Lino, nous n'avons été capables, en dépit du feu vert du juge, que d'échanger des mots brefs et de mon côté atrocement compassés, malgré mes efforts en sens inverse. Aucune de mes lettres, je veux dire inspirée par un élan authentique, n'est jamais partie et aucune n'a pris son essor. Il m'a été jusqu'ici impossible de trouver le ton juste. Je suis partie du principe que je n'enverrais pas celle-ci non plus. Donc je m'adresse à vous librement, comme nous l'avons toujours fait, sans m'inquiéter de l'inégalité qui régit nos conditions, ni de votre état d'esprit. Je peux aussi bien délirer sur un casse-noix ou vous avouer par exemple que durant les premiers temps de mon retour (mon retour !), il m'a fallu lutter contre le sentiment d'abandon et la morosité qui s'abat quand un laps de temps s'achève et se referme. Plus de Manoscrivi au-dessus de nos têtes. Les Manoscrivi au cinquième c'était l'ordre familier des choses. Je sais combien cela peut sembler risible en relation avec les nouvelles du monde. Mais ce qui a disparu avec vous est un bien invisible, auquel on ne pense pas, c'est la vie qui va de soi.

On s'est mis au balcon pour voir l'arrivée du fourgon et des voitures de police. À vrai dire la moitié de l'immeuble était à la fenêtre. Je me suis penchée et j'ai regardé en hauteur. Aparicio était là lui aussi. Il s'est reculé aussitôt, gêné qu'on l'aperçoive. La reconstitution était prévue à vingt-trois heures. L'horaire nocturne étant censé respecter les conditions originelles. On nous a fait savoir également que nous devrions remettre la tenue que nous portions lors des faits. J'ai étalé le caleçon et l'assortiment Kitty sur le lit, comme des costumes disposés pour une représentation. Une dizaine de personnes sont entrées dans l'immeuble dont une femme qui portait une sacoche et une petite table pliante. Jean-Lino est sorti du fourgon entre deux flics en uniforme, les mains menottées.

Le revoir, d'en haut, dans le blouson Zara et avec le chapeau des courses m'a bouleversée. J'ai eu le sentiment d'une gigantesque erreur. Du point de vue de la mort et de l'univers, tel qu'il m'a semblé soudain voir les choses depuis ma rambarde, tout ce tralala d'affairement autour d'un homme inoffensif entravé et redéguisé en lui-même m'a sauté aux yeux comme une farce grotesque.

Le juge d'instruction a voulu commencer par ce qu'il a appelé lui-même *la sortie de la fête*. Pour cette première séquence, il a trouvé inutile qu'on s'habille comme il y a trois mois. La greffière était assise sur le palier, à sa table pliante, devant un petit PC portable. Cliché numéro un, a dicté le juge, *Policière tenant le rôle de madame Gumbiner*. Une femme minuscule aux cheveux frisés a posé, les bras collés au corps dans une veste à basque trop large. Jean-Lino se tenait tout aussi empaillé devant l'ascenseur en chemise parme et cheveux raccourcis. Il était démenotté. Il m'a paru plus jeune. De nouvelles lunettes passe-partout à montures métalliques le rafraîchissaient. La porte de la cage de service était ouverte. Une partie des flics campaient dans l'escalier. Sur le palier j'ai reconnu le directeur d'enquête du 36 et un des flics du hall lors de l'arrestation. Le juge a voulu savoir dans quel ordre s'était effectuée la sortie. Aucun de nous trois n'a été capable de s'en souvenir. Après un léger cafouillage, il a été vaguement admis que Lydie avait franchi la porte en premier, derrière les El Ouardi qui n'étaient pas dignes d'être matérialisés. Le juge a positionné le nouveau couple Manoscrivi ainsi que Pierre et moi dans l'embrasure de la porte, pour la photo. *Madame Gumbiner et monsieur Manoscrivi quittant l'appartement du couple Jauze – avec monsieur et madame El Ouardi qui prennent l'ascenseur.* Le juge m'a vanté l'importance de la narration. L'album sera diffusé lors du procès, a-t-il dit, c'est un outil pédagogique pour le président. Plus tard, lorsqu'il fera photographier *Monsieur Jauze réintégrant sa chambre pour aller se coucher,* il me dira, il est important que les jurés comprennent que vous vous retrouvez seule. Après ce préambule, ils sont tous montés à l'étage supérieur. On est allés se mettre dans le salon Pierre et moi. Pierre m'a demandé sur un ton odieux si je voulais regarder un peu d'infos en attendant. Je n'avais aucune envie de voir les infos. Il a pris son jeu d'échecs et s'est mis à étudier un problème. Il haïssait tout, et particulièrement son embrigadement à chaque nouvel épisode de l'affaire. Quand on avait reçu la convocation pour la reconstitution, il avait juré ses grands dieux qu'il n'y serait pas. Assise sans rien faire sur le canapé à côté de mon mari, j'ai observé l'appartement tel qu'il n'était jamais en temps normal. Les coussins équidistants et gonflés, les superpositions sauvages muées en discrets amas livresques. Le sol qui brille, rien qui traîne. Ma mère aurait tout briqué pareil. Le doigt sur la couture du pantalon face à l'autorité de justice. On entendait des pas et des bruits de voix au-dessus. J'ai dit, il va étrangler la policière ?

– Espérons que non.

Je me suis allongée en mettant ma tête sur ses jambes. Il s'est retrouvé dans une position très inconfortable. J'ai dit, il va l'enfermer dans la valise ?

– Pas avant d'être venu chez nous.

Il a posé l'échiquier magnétique sur mes seins et la coupure de presse de l'étude sur mon visage. Sur le palier, Jean-Lino s'était comporté comme un étranger. Corps mécanique, regard fuyant. On aurait dit que tous les liens s'étaient défaits, y compris avec les murs de l'immeuble. Je ne m'étais pas attendue à cette froideur. Dans les années les pires, aux heures de la préadolescence, on m'envoyait en colo à Corrençon-en-Vercors. J'étais toujours à la traîne dans ces camps où on était livrés à nous-mêmes et où tous semblaient plus émancipés et culottés que moi. J'arrivais parfois à m'inclure en me faisant quelques copines. Comme on n'habitait pas dans les mêmes villes, on se revoyait la saison suivante. Je m'en réjouissais par avance. Mais je ne retrouvais jamais les filles comme avant. Elles étaient distantes, bêcheuses, comme si on n'avait jamais été liées. J'en étais d'autant plus affectée que je misais tout sur ces retrouvailles. J'ai eu un mouvement un peu brusque et quelques pions plats sont allés se balader en dehors de l'échiquier. J'ai filé dans ma chambre pour enfiler ma tenue, mon tee-shirt Kitty, mon pantalon à carreaux bien repassé et mes pantoufles en fausse fourrure. J'entendais Pierre maugréer à côté.

Jean-Lino est revenu sonner chez nous, avec sa suite. Pierre lui a ouvert en caleçon rose pâle. Je suis apparue dans mon attifement. Nous sommes allés au salon. Jean-Lino a repris possession du fauteuil marocain. Assis plus haut que nous comme la dernière fois, presque aussi marmoréen, mais à présent joliment coiffé, sans tic de bouche. En assortiment avec le salon nickel. On a ouvert le cognac. Bu les verres vides. On a éteint la lampe. J'ai allumé le plafonnier, éteint le plafonnier, allumé le lampadaire. J'ai rangé des trucs qui étaient déjà rangés. J'ai apporté mon Rowenta chéri. Pierre l'a pris. Il est allé attaquer Jean-Lino avec. Jean-Lino s'est laissé happer tranquillement. Plus le juge s'appliquait à mettre le monde en ordre plus les choses semblaient relever de la folie furieuse. Notre petite procession s'est engagée dans l'escalier de service dans un silence capitonné. Pierre en tête, avec une lenteur destinée en sous-main à tempérer mon zèle collaborationniste. La photo a été prise dans le tournant, depuis le palier des Manoscrivi. Les scellés étaient enlevés. Nous sommes rentrés dans l'appartement où nous attendaient dix personnes dans une semi-obscurité. On s'est dirigés vers la chambre. Par l'entrebâillement, j'ai vu les pieds de Lydie avec les escarpins à bride rouges. En entrant dans la chambre, j'ai eu un vrai choc. Lydie gisait sous Nina Simone. Elle n'avait plus un cheveu, son visage était informe et glabre. C'était un mannequin terrifiant, vêtu de la jupe à volants et des Gigi Dool. Pouvez-vous nous montrer, a dit le juge, comment vous vous êtes assurés que madame Gumbiner était bien décédée ? Pierre a pris son pouls. Moi j'ai tripoté les jambes comme je l'avais indiqué dans mes dépositions. Le contact était désagréable, une mousse froide et dense. Je lui ai mis son foulard, un autre, trouvé dans le même tiroir. En serrant le nœud la tête s'est rétrécie. Cliché numéro quatorze : *Madame Jauze serre le foulard tandis que monsieur Manoscrivi referme la bouche de madame Gumbiner.* Jean-Lino exécutait les gestes sans la moindre volonté de bien faire. Il semblait mépriser la poupée. Ça m'a fait drôle de revoir le pot de chambre, la chouette en étain, le pendule, même Nina Simone et sa robe en corde. Ils étaient le *passé.* Je savais que je les voyais pour la dernière fois. Monsieur Jauze, est-ce que vous pouvez nous préciser à quel endroit vous vous trouviez exactement lorsque vous avez exhorté monsieur Manoscrivi à appeler la police ? Pierre a effectué un petit tour sur lui-même avec sa jupette et ses mocassins et a dit, ici. Quels ont été vos derniers mots avant de quitter l'appartement ?

– Je ne me souviens plus, a dit Pierre.

– Et vous, vous vous en souvenez monsieur Manoscrivi ?

– Non…

– Madame Jauze ?… Vous aviez dit que votre mari conseille à monsieur Manoscrivi de ne pas attendre trop longtemps avant d'appeler la police.

– Oui. C'est ça.

– Vous pouvez nous montrer comment vous avez quitté monsieur Manoscrivi ?

Pierre et moi sommes sortis de la chambre. Le juge nous a arrêtés devant la salle de bain. Vous quittez les lieux aussi tranquillement ? Vous avez dit que votre mari vous avait un peu forcé la main pour quitter l'appartement.

– Oui c'est vrai.

– Vous pouvez nous montrer ?

On est retournés dans la chambre. Pierre a saisi mon poignet avec ses doigts d'acier et m'a tirée vers le couloir. Je me suis laissé guider, quittant Jean-Lino sur fond de rideaux fleuris, debout à côté du fauteuil en velours jaune.

Ils ont tous voulu regarder par le judas. Le juge, le directeur d'enquête, l'avocat de Jean-Lino et celui de la partie civile. Chacun, empreint de la gravité requise, a bien pu constater qu'on voyait trembloter le bouton de l'ascenseur. Le hall était prêt pour notre arrivée. La greffière s'était collée contre le mur côté poubelles avec sa table pliante et son ordi. La voisine du second attendait près de la porte vitrée en mâchant un chewing-gum. Jean-Lino patientait devant l'ascenseur. On lui avait fait remettre son chapeau, son Zara et ses gants en mouton. Le manteau vert pendait des deux côtés de son bras replié, tandis qu'il tenait gauchement le sac de Lydie par l'anse. Sur l'invitation du juge, il a ouvert la porte de l'ascenseur et a tiré la valise. Elle m'a semblé moins protubérante qu'avec Lydie à l'intérieur. Le mannequin avait dû s'avérer plus souple, une chance pour Jean-Lino tout seul lors de l'opération d'enfournement. C'est bien ce que vous avez vu lorsque vous êtes arrivée en bas de l'escalier ? m'a demandé le juge.

– Oui.

– Ce n'est pas ce que vous aviez expliqué. À la cote D111, vous aviez expliqué que le manteau de madame Gumbiner était posé sur le dessus de la valise…

– Ah oui. C'est possible.

– Il était où le manteau ?

– Sur le dessus de la valise.

– Vous êtes d'accord monsieur Manoscrivi ?

– Oui.

– Vous pouvez nous montrer comment le manteau était posé sur la valise ?

Jean-Lino a couché le manteau sur la valise. J'ai confirmé que c'était ainsi. Le juge l'a fait consigner dans le procès-verbal et a ordonné la photo. Monsieur Manoscrivi, est-ce que vous pouvez nous rappeler ce que madame Jauze vous a dit quand elle vous a aperçu ?

– Elle m'a demandé ce qu'il y avait dans la valise.

– Et vous lui avez répondu quoi ?

– Je n'ai pas répondu. Je me suis dirigé vers la porte.

– Vous pouvez nous rappeler comment madame Jauze vous a intercepté ?

– Elle a saisi le sac et le manteau.

– Madame Jauze, vous pouvez nous montrer comment vous saisissez le sac et le manteau ?

J'ai saisi le manteau, et le sac qu'il tenait toujours en hauteur avec son bras replié. Nous nous sommes enfin regardés. J'ai retrouvé ce que j'aimais dans ses yeux. Par-dessus n'importe quelle tristesse, la flamme d'espièglerie. Photo numéro trente-deux : *Monsieur Manoscrivi regardant Élisabeth Jauze s'emparer du manteau et du sac.*

Quand le fourgon a démarré, Jean-Lino s'est collé à la fenêtre. On lui avait remis les menottes.

Il s'est penché en avant comme pour me faire un signe. Je me tenais devant la porte vitrée avec mes chaussons et j'ai agité mon bras jusqu'à ce que la voiture contourne l'immeuble d'en face. Je suis restée un moment dehors quand tout le monde avait quitté les lieux. Le parking était vide. C'était une belle nuit étoilée à Deuil-l'Alouette. Avant de disparaître, le véhicule avait effectué un demi-tour entre les voitures garées pour repartir en sens inverse. Jean-Lino était encore tourné vers moi mais à cause de la nuit et de la distance je ne pouvais plus distinguer son visage. Je ne voyais que la forme noire du chapeau, l'accessoire démodé qui l'avait singularisé et semblait maintenant le rejeter dans l'anonymat des hommes. L'histoire s'écrivait par-dessus nos têtes. On ne pouvait empêcher ce qui arrivait. C'était Jean-Lino Manoscrivi qui venait de passer et en même temps n'importe quel homme embarqué. Je me suis souvenue du sentiment d'appartenance à un ensemble obscur que Jean-Lino éprouvait dans la cour Parmentier lorsque son père lisait le psaume à voix haute. J'ai regardé le ciel et ceux qui s'y trouvaient. Puis je suis remontée seule par l'escalier de service.

DU MÊME AUTEUR